HVITTRÄSK

KOTI TAIDETEOKSENA
THE HOME AS A WORK OF ART

HVITTRÄSK

KOTI TAIDETEOKSENA   *THE HOME AS A WORK OF ART*

HELSINGISSÄ KUSTANNUSOSAKEYHTIÖ OTAVA / *OTAVA PUBLISHING COMPANY Ltd*

Toimituskunta	Anna-Liisa Amberg
Editorial team	Marika Hausen
	Maija Kärkkäinen
	Tytti Valto

| Toimittaja | Juhani Pallasmaa |
| *Editor* | |

| Toimitussihteeri | Eija Rauske |
| *Editorial secretary* | |

Käännökset	Desmond O'Rourke
Translations	Maija Kärkkäinen
	Asko Salokorpi

| Graafinen suunnittelu | Juhani Pallasmaa |
| *Graphic design* | |

Julkaistu yhteistyössä Suomen rakennustaiteen
museon kanssa
*Published in collaboration with the Museum
of Finnish Architecture*

Seitsemäs painos
Seventh edition

Otavan Kirjapaino Oy, Keuruu 2006

ISBN-13: 978-951-1-09180-6
ISBN-10: 951-1-09180-8

SISÄLLYS   CONTENTS

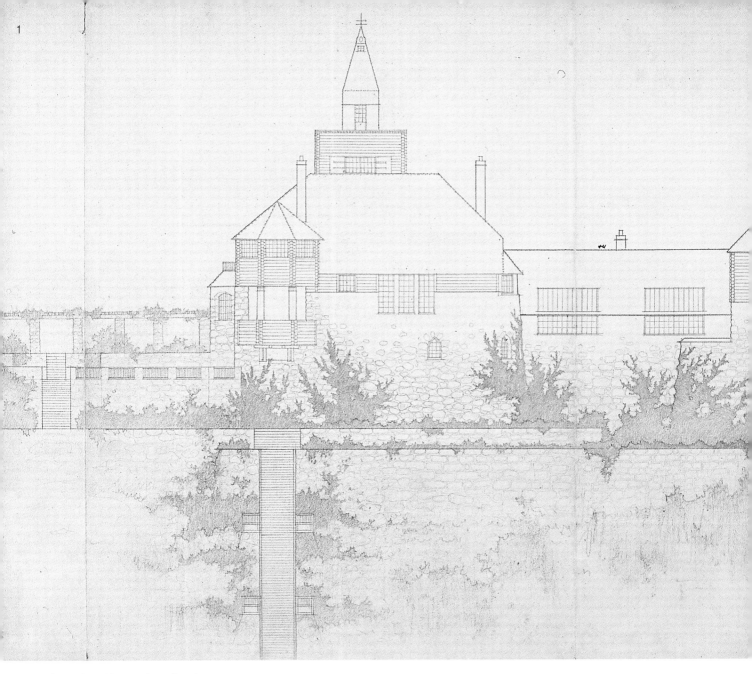

1   Hvitträskin päärakennuksen län-
tinen julkisivu. Eliel Saarisen lyi-
jykynäpiirustus vuodelta 1907(?).

*West elevation of Hvitträsk main
building. Pencil drawing by Eliel
Saarinen 1907(?).*

Suomalaisen arkkitehtuurin helmiin kiistatta kuuluva arkkitehtikolmikko Gesellius, Lindgren, Saarisen asuin- ja ateljeerakennus Hvitträskissä oli unohduksissa ja kaltoin kohdeltuna vuosikymmenien ajan.

Vasta 80-luvun alussa pystyivät Suomen rakennustaiteen museo ja Suomen Taideteollisuusyhdistys/Taideteollisuusmuseo Kone Oy:n rahoituksen turvin alullepanemaan Eliel Saarisen Suomen kauden töiden kartoittamisen ja tutkimisen.

Tämä Hvitträsk-opas on syntynyt suuren tutkimuksen sivutuotteena. Sen julkaisemista erillisenä teoksena on kuitenkin pidetty tärkeänä ateljeerakennuksen rakennustaiteellisen ja kulttuurihistoriallisen merkittävyyden takia. Se on aikakautensa ainoa kokonaistaideteosideaalin toteutus, joka on säilynyt melko ehjänä.

Hvitträsk-teos on eittämättä enemmän kuin tavanomainen opaskirja, antaahan se monipuolisen läpileikkauksen arkkitehtuurikokonaisuudesta rakennusten maastoon sijoittumisesta aina koristeyksityiskohtiin saakka. Toivon, että kirjamme täyttäisi tehtävänsä selvittäessään vuosisadan vaihteen arkkitehtuurin kansainvälisiä periaatteita ja niiden poikkeuksellisen loistokasta suomalaista sovellutusta.

Aarno Ruusuvuori
museon johtaja

Hvitträsk, the dwelling and studio built by the architect trio Gesellius, Lindgren and Saarinen, counts among the pearls of Finnish architecture and yet has suffered oblivion and neglect over the years.

It was only at the start of the current decade that the Museum of Finnish Architecture and the Finnish Society of Crafts and Design/the Museum of Applied Arts, supported by funding from Kone Oy, undertook to collate the output, and initiate a general survey, of Eliel Saarinen's Finnish period.

This Hvitträsk Guide has arisen as an offshoot of the larger work in hand. Importance is attached to separate publication due to the historical worth of the building in the context of the architecture and the cultural life of the period. It is the only contemporary work exemplifying the ideal of an integral work of art that has survived almost intact.

This Hvitträsk publication is clearly more than a routine guidebook, as it offers a comprehensive cross-section of an architectural whole, from siting considerations down to decorative details. I hope that our book will serve to clarify the international principles of turn-of-the-century architecture and the admirable success of their adaptation to the Finnish context.

Aarno Ruusuvuori
Director of the Museum

2 Ilmakuva Hvitträskistä lähiympäristöineen.

Aerial photograph of Hvitträsk and surroundings.

HVITTRÄSK
– KOTI TAIDETEOKSENA

MARIKA HAUSEN

HVITTRÄSKIN SYNTY

1-4 Vitträsk-järven rannalla, kolmisenkymmentä kilometriä Helsingistä länteen, on metsäisellä harjulla Eliel Saarisen ateljeekoti, joka sai nimensä järven mukaan. Hvitträsk oli Saarisen kiintopiste Suomessa; Yhdysvaltoihin muuton jälkeen se merkitsi hänelle koti-ikävää, innokasta huolenpitoa ja vuosittaisia vierailuja.

Saarinen myi Hvitträskin 1949,[1] vuotta ennen kuolemaansa ja lähes viisikymmentä vuotta sen jälkeen kun oli raivannut tiensä jyrkälle rantatörmälle ryteikköjen ja tuulenkaatojen halki ystäviensä Herman Geselliuksen ja Armas Lindgrenin kanssa. Monenlaisten vaiheiden jälkeen talo on nyt museona. Sitä ympäröivä puutarha ja luonnonpuisto uimarantoineen ovat myös yleisölle avoimia.

Vuosisadan vaihde oli nuoren arkkitehtitoimiston Gesellius, Lindgren, Saarisen menestyksen aikaa. Kun Hvitträskin tontti vuonna 1901 ostettiin,[2] oli toimiston suunnitteleman Pariisin maailmannäyttelyn (1900) Suomen paviljongin valtava suosio tehnyt sen arkkitehdit hetkessä tunnetuiksi niin kotimaassa kuin ulkomaillakin. He olivat kaikki nuoria, Saarinen vuonna 1900 vasta 27-vuotias. Toimisto oli perustettu 1896, jo ennen kuin osakkaat olivat valmistuneet Polyteknillisen opiston arkkitehtiosastolta.

Kolmikko tuli varhain tunnetuksi huviloiden suunnittelijana, ja heidän piirtämänsä Hvittorpin rakennustyöt Hvitträskin eteläpuolella ovat hyvin voineet johdattaa heidät sille rannalle, jolle he rakensivat oman kotinsa.[3]

Voitto Suomen kansallismuseon suuressa arkkitehtuurikilpailussa vuonna 1902 kruunasi toimiston menestyksen, ja samana vuonna aloitettiin hirsien kaataminen Hvitträskin metsissä. Melko pian rakennustöiden lähdettyä 5,6 käyntiin valmistui piharakennus. Saarinen asusteli siellä yksin päärakennuksen rakennusvaiheen aikana,[4] ja hän

HVITTRÄSK
– THE HOME AS A WORK OF ART

MARIKA HAUSEN

THE INCEPTION OF HVITTRÄSK

1-4 On a forested ridge near the shore of Lake Vitträsk about thirty kilometres west of Helsinki stands Eliel Saarinen's studio home, named for its lakeside location. Hvitträsk was the focus of Saarinen's life in Finland; after his move to the United States, it was the embodiment of his longing for home, the object of his close attention and the occasion for his yearly visits.

Saarinen sold Hvitträsk in 1949[1] a year before he died, and almost fifty years after he had made his way with his friends Herman Gesellius and Armas Lindgren through a tangle of brush and fallen trees to the lakeside slope. The house, which has seen so many changes in its day, is now a museum. The surrounding gardens, woods and bathing beach are also open to the public.

The new office of Gesellius, Lindgren and Saarinen enjoyed much success at the turn of the century. When they bought the Hvitträsk site in 1901,[2] the popularity of the Finnish pavilion built to their design for the 1900 Paris World Fair had given its architects wide publicity at home and abroad. All three were young: Saarinen was only 27 years of age in 1900. They had set up an office in 1896, before graduating from the architectural faculty of the Polytechnic Institute in Helsinki.

The three gained an early reputation as designers of villas. Hvittorp, a job they had in hand to the south of Hvitträsk may well have led them to the lakeside where they would later build their own house.[3]

Winning first prize in an architectural competition for the Finnish National Museum in 1902 was a fitting climax to the success of the office. It was in this year also that the felling of trees began in the forest at Hvitträsk. The smaller 5,6 building reached completion fairly soon after work had started. Saarinen lived alone there periodically while the main building was under construction[4] and he seems to

3   Vitträsk-järvi 1910-luvulla.
Lake Vitträsk, in the 1910s.

4   Hvitträskin päärakennuksen itäinen julkisivu 1910-luvulla.
East elevation of Hvitträsk main building, in the 1910s.

5   Hvitträskin piharakennus 1902–03.
The Hvitträsk smaller building, 1902–03.

6   Piharakennus 1902–03.
The smaller building, 1902–03.

taisi tuntea loppuelämänsä jonkinlaista lukkarinrakkautta pientä yläkerran asuntoa kohtaan, joka lymysi pyöreän, valkoiseksi kalkitun porttitornin suojassa.

Elokuussa 1902 oli päärakennuksen ensimmäinen kerros saatu muuratuksi ja päästy hirsirakenteeseen ja kattoon.[5] [7] Asuttavaan kuntoon päärakennus tuli vuonna 1903.[6] Sen [8] suuri torni katettiin ensin yksinkertaisella pyramidikatolla, mutta muutettiin pian lopulliseen tunnusomaiseen [9] muotoonsa: paksun, neliömäisen, tasalakisen alaosan päällä oli vielä ohut, teräväkärkinen huippu.[7]

Hvitträskin rakennusryhmä levittäytyy laajana kallion [10-14] laella. Päärakennuksen pitkä seinä on sovitettu jyrkkään rinteeseen tietoisen dramaattisesti. Alimman kerroksen

have had a lifelong affection for the small upstairs flat that nestled behind the round whitewashed gate tower.

The laying of brickwork to the first storey of the main building was ready and work had begun on the upstairs [7] *timberwork and roof in August 1902.[5] The main building* [8] *became habitable in 1903.[6] Its huge tower first bore a py-* [9] *ramid-shaped roof but soon acquired its final characteristic form: the stout flat-topped square section, surmounted by a slender steeple reducing to a sharp point.[7]*

The Hvitträsk buildings are ranged along a rocky ridge. [10-14] *The long wall of the main house is placed with intentional dramatic effect against a steep rise. Looked at from the lake, the stone exterior of the lowest storey is unbroken*

7

10

8

9

7 Päärakennus idän puolelta noin 1903.
Main building viewed from the east, about 1903.

8 Päärakennuksen pohjoissiipeä: tornin varhaisempi asu. Armas Lindgrenin lyijykynäpiirustus.
North wing of the main building: the tower as it first appeared. Pencil drawing by Armas Lindgren.

9 Pohjoissiiven torni korotettuna.

Armas Lindgrenin lyijykynäpiirustus.
The north wing tower after it had been given added height. Pencil drawing by Armas Lindgren.

10 Eteläsiipeä lännen puolelta 1906–07.
South wing viewed from the west, 1906–07.

11 Eteläsiipeä lännen puolelta.
South wing viewed from the west.

kivimuuri on umpinainen järvelle päin lukuun ottamatta muutamaa ikkuna-aukkoa ja pientä salaperäistä kellarinovea. Talo kohoaa erilaisten terassien ja portaiden keskeltä, ja sen ylemmät kerrokset avautuvat parvekkeina, terasseina ja erkkereinä.

15 Piha on teemoiltaan rauhallisempi. Se on suojaisa ja aurinkoinen ja tulvillaan kukkivia pensaita, villiviiniä ja ruusuja. Rakennusten, muurien ja terassien ympäröimä
16 aukio tuo mieleen linnanpihan. Muinaislinnamaisia piirteitä löytyy jo Lindgrenin tekemästä Hvitträskin varhaisimmasta luonnoksesta, vaikka rakennukset ovat siinä vielä ryhmä pieniä taloja pihamaan ympärillä.

Hvitträsk on dramaattinen näky myös metsän kautta lä-

with the exception of a few windows and the partly hidden basement door. The house swells in a series of terraces and stairways and its upper storeys are given breadth by balconies, terraces and bay windows.

15 The courtyard is laid out in a more restrained manner. It is sheltered, open to the sun and rich in flowering shrubs, Virginia creeper and rose bushes. This space, which is surrounded by buildings, walls and terraces reminds one of the
16 inner garden of a castle. Traces of a prehistoric castle appear in Lindgren's earliest sketch for Hvitträsk, even if the houses are shown grouped around the courtyard and distinct from each other.

Hvitträsk presents a dramatic sight, when approached from

13

14

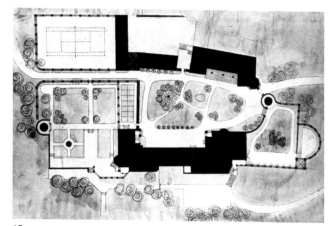
15
16

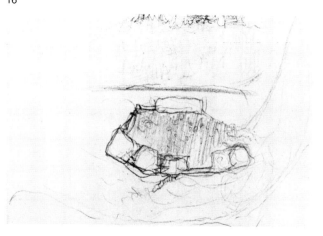

12 Eteläsiiven päätyä lännen puolelta.
South wing gable viewed from the west.

13 Läntistä julkisivua 1906–07.
West elevation, 1906–07.

14 Pohjoissiipeä lännen puolelta 1906–07.
North wing viewed from the west, 1906–07.

15 Hvitträskin asemapiirros vuodelta 1907(?).
Site plan of Hvitträsk, 1907(?).

16 Pihaluonnos, Armas Lindgrenin lyijykynäpiirustus vuosilta 1901–03(?).
Sketch of courtyard. Pencil drawing by Armas Lindgren, 1901–03(?).

17-19 hestyttäessä. Tie nousi alun perin etelästä jyrkkää, kivistä mäkeä pitkin kaartuakseen yhtäkkiä piharakennuksen porttitornia ja terassin vasemmalla puolella olevaa 'karhunkoloa' kohti. Pohjoissiiven korkea hirsitorni kohosi mahtavana ja alkukantaisena avoimen pihan perällä. Tämä harkittu tehokeino on tallennettu moniin varhaisiin valokuviin.

20-22

23-25 Nykyinen tie pujottelee harjulle metsän halki ja tulee pihalle entisen tenniskentän ja pohjoissiiven puutarhamuurin välistä.[8] Dramaattista tehoa siinäkin on. Tie on hyvin kapea, ja sen reunassa kiinni kasvavat puut tekevät siitä 'villin' näköisen.

Eteläinen sisääntulo on vielä olemassa, tosin pysäköinti-

17-19 *the forest. The road came originally up a steep and stony hill from the south, and it veered sharply towards the gate tower of the smaller building and the 'bear pit' to the left of the terrace. The high log tower of the north wing rose primitive and majestic at the rear of the open courtyard. This intentional effect is recorded in many early photographs.*

20-22

23-25 *The present-day road winds along the ridge through the forest from the north and reaches the courtyard by passing between the former tennis court and the garden wall of the north wing.[8] The effect is no less dramatic. The road is extremely narrow and the trees growing close to it on either side give it a wild setting.*

The approach from the south still exists, even if it is all but

17
20

18
21

19

17 Pihalle etelästä johtava tie.
    Road leading to courtyard from the south.

18 Piharakennuksen torni.
    Tower of the smaller building.

19 Eteläinen tie. Loja ja Eliel Saarisen exlibris. Eric O.W. Ehrströmin puukaiverrus vuodelta 1908.
    The road from the south. Bookplate of Loja and Eliel Saarinen. Woodcut by Eric O.W. Ehrström, 1908.

20 Piha ja pohjoissiipeä 1906–07.
    The courtyard and the north wing, 1906–07.

21 Piha ja pohjoissiipeä 1910-luvulla.
    The courtyard and the north wing in the 1910s.

22 Itäistä julkisivua.
    East elevation.

alueen pilaamana. Se menetti merkitystään, kun vuonna 1922 palaneen suuren tornin tilalle rakennettiin niin pieni ja matala uusi osa, ettei näkymä ole enää yhtä vaikuttava etelästä päin. Siihen suuntaan näkyy kuitenkin piharakennuksen pehmeästi pyöristyvä torni sekä vastapäätä sijaitseva karhunkolo. Karhuja ei kolossa liene koskaan ollut; siitä aiottiin aikanaan kasvihuoneen perustaa, ja aikeen toteuttamiseksi käännyttiin Emil Wikströmin puoleen.[9]

26-30 Lindgrenin luonnosteleman metsälinnan arkaista ja alkukantaista tunnelmaa on myös Hvitträskin pääpiirustuksissa, joissa talon massiivisuus, sen rakenteitten jykevyys ja yksityiskohtien primitiivisyys ovat näkyvissä. Niistä on säilynyt vain julkisivut ja leikkauksia. Piirus-

ruined by the parking lot. It lost its significance when the great tower, which burned in 1922, was replaced by a new building of such reduced dimensions that the view from the south was no longer impressive. One can still observe from this vantage point the softly rounded tower of the smaller building together with the 'bear pit' opposite. There is very little likelihood that a bear was ever kept there; it was at one time considered as a possible foundation for a greenhouse, and the artist Emil Wikström was approached for ideas as to how it might be achieved.[9]

26-30 *The archaic and primitive stamp of a woodland castle evident in Lindgren's early sketches shows also in the design drawings of Hvitträsk: the house has a massive appearance, with stout walls and rugged details. Only the elevations and*

23

24
25

23 Pihalle pohjoisesta johtava tie 1910-luvulla.
   Road leading to courtyard from the north, in the 1910s.

24 Rakennus pohjoisesta nähtynä.
   The building viewed from the north.

25 Pohjoissiipeä idän puolelta.
   The north wing viewed from the east.

26 Päärakennuksen itäinen julkisivu. Eliel Saarisen(?) tussi- ja vesiväripiirustus vuodelta 1902(?).
   East elevation of the main building. Ink and wash drawing by Eliel Saarinen(?), 1902(?).

27 Läntinen julkisivu. Tussi- ja vesiväripiirustus vuodelta 1902(?).
   West elevation. Ink and wash drawing, 1902(?).

26

27

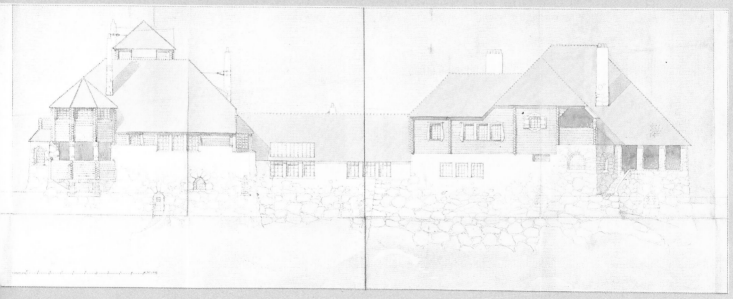

28

29

28 Eteläsiiven etelä- ja pohjoispäädyt, leikkaus ateljeen kohdalta. Tussi- ja vesiväripiirustus vuodelta 1902(?).

South and north gables of the south wing; sectional drawing of the studio. Ink and wash drawing, 1902(?).

29 Pohjoissiiven pohjois- ja eteläpäädyt, leikkaus ateljeen kohdalta. Tussi- ja vesiväripiirustus vuodelta 1902(?).

North and south gables of the north wing; sectional drawing of the studio. Ink and wash drawing, 1902(?).

30 Pohjoissiiven leikkaukset. Armas Lindgrenin(?) tussi- ja vesiväripiirustus vuodelta 1902(?).

Sections through the north wing. Ink and wash drawing by Armas Lindgren(?), 1902(?).

31 Piharakennus lännen puolelta.

Smaller building viewed from the west.

32 Piharakennus idän puolelta 1920-luvun alussa.

Smaller building viewed from the east at the beginning of the 1920s.

33 Piharakennuksen eteläpääty.

South gable of the smaller building.

34 Piharakennuksen olohuone 1905.

Living room of the smaller building, 1905.

35 Pohjoissiiven, 'Lindgrenin puolen', pohjakaavaluonnos. Armas Lindgrenin lyijykynäpiirustus vuosilta 1901–03(?).

Sketch layout of the north wing, the Lindgren section. Pencil drawing by Armas Lindgren, 1901–03(?).

30

31

32   35

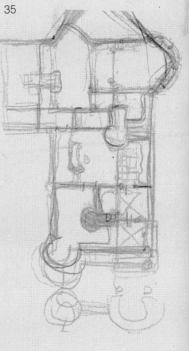

33

34

tuksista kuvastuu miellyttävä, yksinkertainen raikkaus. Varsinkin ornamentiikka on 'primitiivistä' niin Lindgrenin kuin Saarisenkin osuudessa.

Lindgren ja Saarinen suunnittelivat kumpikin oman asuntonsa osan päärakennuksesta. Asuntojen väliin sijoitettiin ateljee, jonne pääsi myös suoraan pihalta. Piharakennuksen pieni asunto oli luultavasti tarkoitettu Geselliukselle, joka tuolloin oli vielä poikamies.

31-34

Päärakennuksen osat ovat melko erilaiset. Pohjoissiipeä eli 'Lindgrenin puolta' hallitsi jo aiemmin mainittu suuri torni. Sen rakentamiselle ei löydy aihetta pohjaratkaisusta, vaan se tuntuu tehdyn lähinnä sommitelman korostuksen ja tasapainon vuoksi. Lindgren piirsi asuntoonsa puolen kerroksen lattiatasovaihteluita ja melko pieniä huoneita, joiden keskinäiset suhteet eivät aina ole aivan onnistuneet. Toiseen eli sisääntulokerrokseen hän sijoitti suuren olohuoneen, jonka järvenpuoleisen pitkän seinän kolmesta ikkunasta avautui komea näköala. Eteläseinän erkkeri antoi auringonvaloa ja oli kaiketi tarkoitettu kukkaikkunaksi. Pohjoisseinällä oli avotakka. Huone oli suurimmaksi osaksi puolentoista kerroksen korkuinen, mutta siinä oli pihan puolella matalampi osa.

30, 35

36, 37

Puoli kerrosta sisäänkäyntiä alempana, pohjoisen puolella, olivat ruokasali, tarjoiluhuone ja keittiö — ruokasalista oli ovi järvenpuoleiselle terassille. Puoli kerrosta sisäänkäyntiä ylempänä olivat makuuhuone, lastenkamari ja vierashuone sekä kylpyhuone, joka ei siihen aikaan ollut mitenkään itsestään selvä varuste.[10] Tornihuoneen käytöstä ei ole tietoa, mutta tornissa oli ainakin myöhemmin kyyhkyslakka.

Ulkoa katsoen pohjoissiipi oli komea, ja suuri torni kieltämättä mahtava luomus. Lindgren paneutui huolellisesti myös sisäänkäynnin suunnitteluun ja teki lopulta puoli kerrosta korkeat sisäänvedetyt portaat hirsirakenteen alle. Ylemmän kerroksen hirsirakennetta kantavat pyöreät kapiteelittomat pylväät tuovat mieleen karjalaiset patsasnavetat; muuten ei juuri mikään tässä talossa muistuta Karjalasta.

38-40

Lienee syytä pohtia vähän tätä Karjala-problematiikkaa. 1890-luvun suomalaisten taiteilijahuviloiden moniin piirteisiin oli etsitty innoitusta Karjalasta samaan tapaan kuin Norjassa ja Ruotsissa palattiin tietoisesti muinaispohjoismaisiin lähtökohtiin, 'viikinkityyliin'. Gesellius,

---

sections survive. The drawings evince an agreeable and unstudied freshness. The ornamental details especially bear the stamp of ruggedness, both in Lindgren's and Saarinen's case.

Lindgren and Saarinen both planned their dwelling as integral parts of the main building. The studio was situated between the dwellings, with separate access from the courtyard. It appears that the small dwelling in the smaller building was intended for Gesellius, still a bachelor at the time it was planned.

31-34

The two parts of the main building differ considerably. The tower mentioned above dominated the north wing, or the Lindgren section. The plan is without any feature that might account for the tower, which seems to have been built to give weight and balance to the whole, regardless of the interior. Lindgren planned his home with half storey differences in floor levels and smallish rooms, the proportions of which were not perhaps entirely successful. Lindgren used the upper or entrance level for the location of the large living room, with its three windows affording a fine view towards the lake. The bay window on the south wall was sunlit, and probably meant for plants. There was a fireplace in the north wall. The room was one and a half storeys high, with a lower portion on the courtyard side.

30, 35

36, 37

The dining room, servery and kitchen were at the north end, half a storey below the entrance level, and there was a door from the dining room to the terrace overlooking the lake. Half a storey above the entrance level were the bedroom, children's room, guest room and bathroom, which at the time was still something of a luxury.[10] There was a dovecote at the top of the tower.

The north wing was a striking sight, and the huge tower was undoubtedly a splendid creation. Lindgren took great care designing the entrance and he finally placed it at the end of a recessed flight of steps in the lee of the timberwork, half a storey over ground level. The round unsurmounted columns which carry the timber upper storey are reminiscent of posts as used in Karelian cowsheds, but otherwise really very little in the house reminds one of that region.

38-40

The Karelian question deserves our attention. The construction details in Finnish pre-twentieth century artist retreats were largely inspired by an avid search for Karelia, in the same way that prehistoric Nordic origins, the 'Viking style', were in vogue in Norway and Sweden. The 'Finnish style' of

36
38

37
40

39

36 Pohjoissiiven olohuone Lindgre-
nien aikana 1903–04.

*Living room of the north wing in
the Lindgrens' day, 1903–04.*

37 Pohjoissiiven olohuone 1903–04.

*Living room of the north wing,
1903–04.*

38 Pohjoissiiven portaat pihalle.
Armas Lindgrenin lyijykynäpii-
rustus.

*The flight of steps from the north
wing to the courtyard. Pencil
drawing by Armas Lindgren.*

39 Pohjoissiipi ja portaat pihalle.
Armas Lindgrenin lyijykynäpii-
rustus.

*The north wing and the flight of
steps to the courtyard. Pencil
drawing by Armas Lindgren.*

40 Pohjoissiipeä pihalta nähtynä.
Armas Lindgrenin akvarelli noin
vuodelta 1904.

*North wing viewed from the court-
yard. Water colour by Armas
Lindgren, about 1904.*

41

42

43

41 Gesellius, Lindgren, Saarinen:
Wuorion huvila, Laajasalo. Val-
mistunut 1898.
Gesellius, Lindgren, Saarinen:
Villa Wuorio, Laajasalo. Com-
pleted in 1898.

42 Gesellius, Lindgren, Saarinen:
Vakuutusyhtiö Pohjolan talon
portaali, Helsinki. Valmistunut
1901.
Gesellius, Lindgren, Saarinen:
The entrance portal of the Pohjo-
la Insurance Company building,
Helsinki. Completed in 1901.

43 Vakuutusyhtiö Pohjolan talon
porrashuone.
The staircase of the Pohjola In-
surance Company building.

44 Hvitträskin eteläsiiven, 'Saarisen
puolen', pihapääty 1906-07.
The garden gable of the Hvitträsk
south wing, the Saarinen section,
1906-07.

45 Eteläsiipi idän puolelta 1910-lu-
vulla.
The south wing viewed from the
east in the 1910s.

46 Eteläsiipi etelän puolelta 1910-
luvulla.
The south wing viewed from the
south in the 1910s.

Lindgren, Saarisen toimisto oli myös kokeillut 'suoma-
laista tyyliä' Wuorion huvilassa (1897), mutta omaksui
muuten melko varovaisen kannan tällaisiin puutalokokei-
luihin.

Hvitträsk on toimiston merkittävin hirsirakennus, ja sen
voi katsoa edustavan tietoista pyrkimystä nimenomaan
yksilölliseen näkemykseen. Hvitträsk on kaukana kansa-
tieteellisestä oikeaoppisuudesta, mutta sen jylhästä muo-
toilusta ja erittäin harkitusta materiaalinkäsittelystä on
tullut kansallisia tunnusmerkkejä.

Vuosina 1900–01 Gesellius, Lindgren, Saarisen toimis-
to oli luonut Palovakuutusyhtiö Pohjolan talossa eri-
tyisen suomalaisena pidetyn ornamentiikan, ja samanlais-
ta arkaisoivaa tyyliä on myös Hvitträskin piirustuksissa.
Toimisto oli kuitenkin jo vieraantumassa siitä vuosina
1902–03, minkä voi havaita samoihin aikoihin suun-
nitellun Suur-Merijoen kartanon piirustuksista.

Hvitträskissäkin koristelua hillittiin, eikä sinne ilmaantu-
nut peikkoja. Eräässä varhaisessa Saarisen isoa tupaa
esittävässä valokuvassa näkyy tosin Pohjolan talon tyyli-
nen suuri kaappi, mutta muuten sisustus oli linjoiltaan
yksinkertainen ja sellaisena se pysyi myöhemminkin.

Jos pohjoissiipi suurine torneineen olikin tärkeä osa
Hvitträskin rakennuskompleksia, niin vähintään yhtä
merkittävä ja näyttävä on eteläsiipi eli 'Saarisen puoli'.
Pitkän talokokonaisuuden tasapaino on erittäin tarkoin
harkittu ja suhteet ovat virheettömät. Sommitelma on
tehty niin varmalla kädellä, että eteläinen siipi on majes-
teettisen itseriittoinen ilman pohjoissiiven palaneen tor-
nin antamaa tukeakin. Pitkän, matalan ateljeen merkitys-
tä ei myöskään pidä unohtaa. Se pitää pihatilan koossa
ja toimii pohjois- ja eteläsiiven yhdyssiteenä.

Eteläsiiven hallitsevin piirre on suuri katto, jonka alle
mahtuvat iso hallimainen tupa ja muut eri tasoissa sijait-
sevat tilat. Pihanpuoleinen suuri pääty on samanlainen
visuaalinen kohokohta kuin oli pohjoissiiven suuri torni.

Saarinen on toisin kuin Lindgren tehnyt ensimmäisestä
kerroksesta sisätilojen pääkerroksen, joka siis on maan
tasolla. Tuvan lattia on muutaman askelman korkeam-
malla kuin sisääntulopiha, mutta samalla tasolla kuin
eteläpäädyn korotettu terassi. Keittiö (josta osa on muu-
tettu museon eteiseksi) on alempana kuin tupa ja ruoka-

the 'nineties was tentatively used by Gesellius, Lindgren
and Saarinen's office in the Wuorio villa (1897), but they
soon developed their own version of the Finnish style in
wooden houses.

Hvitträsk is the most notable of the log houses designed by
the office and it may be regarded as an example of the
individual viewpoint they adopted. Hvitträsk is a long way
from ethnographic orthodoxy, but its rugged shapes and
carefully considered use of materials have become national
symbols.

The Gesellius, Lindgren and Saarinen office was respon-
sible in 1900–01 for the ornamentation of the Pohjola In-
surance Company building, which is regarded as very Fin-
nish, and the same archaic style appears in the Hvitträsk
drawings. It was no longer much favoured by the office in
1902–03, which may be inferred from the drawings of the
Suur-Merijoki manor house.

The ornamentation of Hvitträsk too was restrained, without
trolls. An early photograph of the Saarinen living room
shows a big cabinet in the same style as the Pohjola building;
otherwise the interiors followed simple lines which did not
change over the years.

Although the north wing with its huge tower was a signifi-
cant part of the Hvitträsk building complex, the south
wing, or Saarinen's section, was just as important and strik-
ing in appearance. The balance of the extended unit is very
well-considered and the proportions are impeccable. The
design is so unerring that the south wing possesses a stately
self-sufficiency, even in the absence of the burned tower of
the north wing. The significance of the long low studio sec-
tion should not be overlooked. It cradles the open courtyard
and acts as a link between the north and south wings.

The dominant feature of the south wing is the wide roof
under which lie the very spacious living room and other
rooms at different levels. The large gable end to the court-
yard offers the same visual impact as the tower did in the
north wing.

Contrary to Lindgren, Saarinen made the lower storey the
principal level. The floor of the living room is a few steps
above the courtyard level, but no higher than the raised
terrace at the south gable. The kitchen (part of which is
now the entrance hall to the museum) is at a lower level

44

45

46

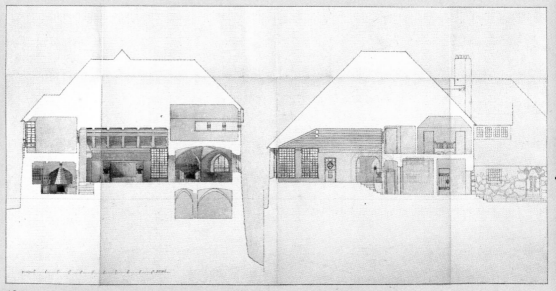

48

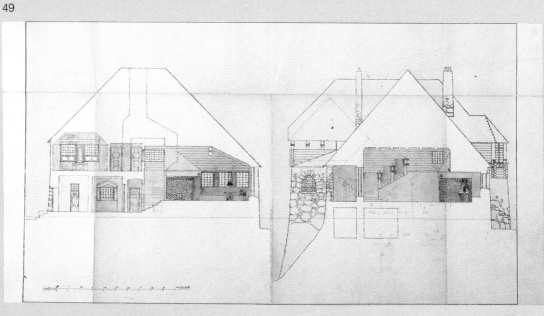

49

47 Eteläsiiven eteläpääty.

The south gable of the south wing.

48 Eteläsiiven leikkaukset. Eliel Saarisen(?) tussi- ja vesiväripiirustus vuodelta 1902(?).

Sections through the south wing. Ink and wash drawing by Eliel Saarinen(?), 1902(?).

49 Eteläsiiven leikkaukset. Eliel Saarisen(?) piirustus.

Sections through the south wing. Drawing by Eliel Saarinen(?).

50 Näkymä tuvasta kohti ruokasalia.
▷

The dining room seen from the living room, or tupa.

sali ja samalla tasolla kuin ateljee ja myöhemmin kirjastoksi tehty tila. Näin voitiin ylempiinkin kerroksiin saada lattiatasoeroja. Erot eivät kuitenkaan ole puolen kerroksen korkuisia, kuten pohjoissiivessä, vaan vaihtelevia, ja niiden oikukas leikki saa aikaan virtaavan, liukuvan tilan elämyksen. Vaikutelmaa korostavat vielä huonekorkeuden vaihtelut ja monenlaiset syvennykset.

50 Saarisen tapa käsitellä soljuvaa tilaa ilmenee Hvitträskissä kauneimmin holvatun, rikkaasti koristellun ruokasalin ja ikkunallisella takkanurkkauksella varustetun suuren hirsituvan keskinäisessä suhteessa. Niihin liittyi vielä — ei tosin alun perin — leveä porras, joka johti alas eteistilan laajennukseksi muutettuun pieneen vastaanottohuoneeseen.[11] Sen korkealla olevat ikkunat antoivat oman lisänsä tuvan valaistukseen. Kaakeliuunissa loimuava tuli toivotti vieraan tervetulleeksi jo alhaalla heti kun raskas, heloitettu ulko-ovi avattiin.

110 Yhtä tuvan seinänviertä nousee yläkerran porras. Portaan yläpuolella olevaa hirsirakennetta kantavat sileät koristelemattomat pylväät kapiteeleinaan vaakasuorat hirrenpätkät — rakenteeltaan ratkaisu näyttää hiukan arveluttavalta. Aluksi Saarinen oli suunnitellut samantapaisia tai ehkä vieläkin runsaammin koristeltuja pylväänpäitä kuin toimisto oli käyttänyt Hvittorpissa ja monissa muissa huviloissa.

Vaikka porras on toiselta sivultaan avoin, se ei yhdistä kerroksia toisiinsa visuaalisesti. Sen sulkee ylhäällä ovi, jonka tarkoitus lienee ollut estää lämmön karkaaminen. Suuresta uunista huolimatta tupaa on varmaankin ollut vaikea pitää lämpimänä. Kerrosten välinen yhteys syntyi yläkerrasta tupaan avautuvien värilasi-ikkunoitten kautta, joista alakertaan siivilöityi tunnelmallista valoa. Yläkerrasta taas avautui mielenkiintoisia ja yllättäviä näkymiä.

Tällainen tilasommittelu ei ollut harvinaista toimiston töissä, mutta Hvitträskin toteutus on harvinaisen onnistunut ja kaunis. Vaikutusta korostaa ehkä myös rakennusmateriaalina käytetty raskas pyöröhirsi, jota ei niinkään tule yhdistäneeksi näin edistykselliseen ja vapaaseen tilankäsittelyyn.

Gesellius, Lindgren, Saarisen toimisto käytti näihin aikoihin huviloissa mielellään rapattuja pintoja. Rakennuksen plastinen muoto syntyi pehmeästi kaartuvista seinäpinnoista ja lukuisista pyöreistä torneista, puolipyö-

than the living and dining rooms, but is level with the studio, and what later became the library. This allowed changes in the floor levels overhead. They did not amount to half a storey as in the north wing, but were varied at whim, so as to create a fluid, continuous space. The impression was enhanced by the different ceiling heights and the many recesses in the walls.

50 Saarinen's skill in handling fluid space may be seen at its most beautiful in the relationship between Hvitträsk's vaulted and richly decorated dining room and the living room, whose inglenook is lit by a corner window. Another element is the wide stairs (not in the original design) leading down to the small reception room, which acted as an extension to the entrance hall.[11] The high location of its windows afforded extra daylight in the living room. A blazing fire in the tiled stove beckoned the visitor from below, as soon as the heavy entrance door with its decorative fittings was opened wide.

110 A flight of stairs leads upwards from one side of the living room. Smooth wooden columns with capitals in the form of a horizontal log bear the wooden superstructure of the upper storey: a dubious solution from a constructional standpoint. Initially, Saarinen had drawn columns akin to, if not even more decorative than, what the office had used in Hvittorp and many other villas.

Although the flight of stairs is open on one side, there is no visual link between the floors as it is closed at the upper level by a door, probably meant to limit heat loss. Despite the large stove, the living room must have been difficult to warm. Communication between the two floors was by way of borrowed lights made of stained glass through which a soft light filtered to the room below. The views from the upper floor were at once absorbing and arresting.

Such a space composition was not rare in the work done by the office, but in the case of Hvitträsk it is exceptionally beautiful. The impression is perhaps enhanced by the use of heavy round logs not readily associated with a space that is handled in such an enlightened and free manner.

The Gesellius, Lindgren and Saarinen office favoured plastered finishes in their villa designs at the time. The building's plastic form grew from it's softly curved wall surfaces, innumerable small towers, half-rounded corbels, and pillars that were short, squat and obese. The interiors often had

51 Gesellius, Lindgren, Saarinen: Hvittorp, Kirkkonummi. Valmistunut 1904(?).

Gesellius, Lindgren, Saarinen: Hvittorp, Kirkkonummi. Completed in 1904(?).

52 Eliel Saarinen: Villa Winter, Sortavala. Hiilipiirustus vuodelta 1909.

Eliel Saarinen: Villa Winter, Sortavala. Charcoal drawing, 1909.

53 Marling & Burdette: esikaupunkihuvila vuodelta 1888, Buffalo, N.Y.

Marling & Burdette: suburban villa, 1888. Buffalo, N.Y.

54 C.F.A. Voysey: huvilasuunnitelma.

C.F.A. Voysey: design for villa.

55 M.H. Baillie Scott: hallin suunnitelma.

M.H. Baillie Scott: design for hall.

51

52

reistä ulkonemista sekä lyhyistä, paksuista ja paisutelluista pylväistä. Sisätiloihin sijoitettiin usein holvattuja huoneita, jotka näyttivät rakennuksen massasta koverretuilta.

Hvitträskissäkin on muurattuja onkaloita — eteläsiiven ruokasali sekä Lindgrenin puolen kellarihuone. Ne tuntuvat luontuvan hyvin taloon, jossa on kivenjärkäleistä muurattu korkea kivijalka. Tarvittiin kuitenkin varmaa kättä ja voimakasta muototahtoa muokkaamaan niin taipumaton materiaali kuin pyöröhirsi osaksi plastista kokonaisuutta siten, että eri osatekijät rikastuttavat ja täydentävät toisiaan.

Hvitträskin puupaanuverhous on tehty myöhemmin, eikä tiedetä tehtiinkö se esteettisistä syistä vai siksi, että talo oli osoittautunut kylmäksi ja vetoisaksi. Uusi 'iho' levitettiin mm. koko pohjoissiiven, myös ison tornin, päälle. Eteläsiiven pihanpuoleisen päädyn parvekegalleriassa se sai aikaan pahaa jälkeä, kun kapiteelien esiin työntyvät päät oli pakko katkaista, jotta pintaverhous saatiin paikalleen. Piharakennuksen mahtavat pyöröhirret jätettiin verhoilematta. Suuren tornin osalta on vaikea keksiä selitystä 'puusuomujen' käytölle — päätyihin ne toki sopivat luontevammin.

51, 52 Puusuomujen käyttö niin Hvitträskissä kuin muutamissa
53 muissakin Gesellius, Lindgren, Saarisen töissä vie ajatukset amerikkalaiseen 'shingle styleen'. On kuitenkin muistettava, etteivät puusuomut olleet Hvitträskiin vaikuttaneen amerikkalaisen tyylin ainoa luonteenomainen piirre. Myös kivijärkäleistä ladotut boulder-sokkelit, rikas jäsentely, holvatut oviaukot, lyhyet vantterat pylväät, verannat, voimakkaat kattomuodot jne. olivat tavallisia amerikkalaisessa arkkitehtuurissa jo 1880-luvulla, ja kuvia niiden käytöstä löytyy Saarisen aikakauslehdistä Hvitträskin kirjastossa.[12] Yhdysvaltoihin — samoin kuin Suomeenkin — eräät näistä tyylipiirteistä olivat kuitenkin tulleet Englannista, lähinnä R. N. Shaw'lta tai C.F.A.
54 Voyseylta — sisätilojen osalta varmaan myös M. H. Bail-
55 lie Scottilta. Näin ollen voidaan keskustella siitä, olisiko Hvitträskiä pidettävä enemmän englantilaisena vai amerikkalaisena. Kysymyksenasettelu on kyllä oikeastaan aiheeton, sillä olennaisilta piirteiltään Hvitträsk on loppujen lopuksi suomalainen.

56-61 Talo on suomalaisittain hyvin erikoinen ja persoonallinen. On syytä muistaa, että Eliel Saarinen ei luonut Hvitträskiä yksin, vaikka hän asuikin siellä kauimmin. Se syntyi aikana, jolloin kolmen arkkitehtiystävän yhteistyö oli

rooms with vaulted ceilings that seemed to be scooped from the building's volume.

Hvitträsk also has brick vaults, in the south wing dining room and in the basement in the Lindgren section. They appear suited to the nature of the house, which has a high plinth made of massive blocks of stone; however, it required a sure hand and a strong urge to overcome the inflexibility of the rounded logs, and achieve a plastic whole in which the components enriched and complemented each other.

Hvitträsk's shingle cladding is a later addition; whether it was based on aesthetic grounds or because the house was cold and draughty is not clear. The new skin extended over the entire north wing, including the tower. This led to the disfigurement of the south wing balcony over the courtyard, since the projecting heads of the capitals had to be sawn off to accommodate the cladding. The massive round logs of the smaller building were left unclad. It is difficult to justify the 'wooden scales' covering the high tower and the form appears more suited to the gable walls.

51,52 The use of shingles in Hvitträsk and other works of Gesellius, Lindgren and Saarinen, is reminiscent of the American
53 shingle style. Indeed, this is not the only typical feature of the American style that shaped Hvitträsk. The plinth made of boulders, the rich articulation, arched doorways, short, obese columns, verandahs, strong roof forms etc., were common in American architecture as early as the 1880s and pictures showing their applications have been found among Saarinen's periodicals in Hvitträsk library.[12] Some of the features, both in the case of America and Finland, originat-
54 ed in England, mainly from R.N. Shaw and C.F.A. Voysey.
55 Many interiors were also influenced by M.H. Baillie Scott. Consequently, we may wonder if Hvitträsk is more English than American. The question is indeed without foundation, as, in the final analysis, the essential features of Hvitträsk are Finnish.

56-61 The house is unusual and individual, even by Finnish standards. It is well to recall that Eliel Saarinen did not create Hvitträsk single-handed, though he lived there longer than the others. Hvitträsk came about at a time when cooperation between the three architect colleagues was securely founded and productive: it is often impossible to ascertain which of them was the chief instrument in what was done at the office. Even if it is known that Lindgren planned the north wing of Hvitträsk and Saarinen the south wing (Ge-

53

54

55

kiinteää ja hedelmällistä — usein on jopa mahdotonta päätellä, kuka heistä teki minkäkin osan toimiston töistä. Vaikka tiedetäänkin, että Lindgren suunnitteli Hvitträskin päärakennuksen pohjoisen osan ja Saarinen eteläisen — Geselliuksen osuudesta ei ole tietoa — niin kokonaisuus on sulatusprosessin tulos, näille kolmelle arkkitehdille tyypillinen synteesi.

Monet 1890-luvun esteettiset näkemykset toteutuivat Hvitträskissä. Ensimmäiseksi tulee mieleen kokonaistaideteoksen ajatus: ympäristön esteettinen hallitseminen siten, että kaikki yksityiskohdat niin ulkona kuin sisälläkin käsitettiin saman kokonaisuuden osiksi, aina metsän puista pienimpiin sisustusesineisiin saakka. Hvitträsk on erityisen mielenkiintoinen siksi, että talo ei tullut valmiiksi kerralla, vaan kasvoi asukkaittensa myötä. Sitä rakennet-

sellius remains an unknown factor), the whole is the outcome of a fusion process, a synthesis typical of the three architects.

Many of the aesthetic ideas of the 1890s found expression in Hvitträsk. The first which springs to mind is that of the integral work of art: control of the aesthetic elements in our environment so that all internal and external details are treated as part of one entity, from the trees of the forest to the most unobtrusive interior ornaments. Hvitträsk is a source of interest as a house that was not finished once and for all, but grew in step with its occupants. It was built and altered, became embroiled in a creative process unfolding within. Hvitträsk was also influenced by the feeling for materials and the quality of craftsmanship of William Morris, who was a giant in the world of English industrial art.

56

57

58

59

tiin ja muuteltiin, se joutui mukaan tiloissaan tehtyyn luovaan työhön. William Morrisin, englantilaisen taideteollisuuden suurmiehen, näkemykset materiaalin tuntemisesta ja työn laadusta löivät myös leimansa Hvitträskiin.

Yhdeksänkymmentäluvun suomalaisen muotoilun ja arkkitehtuurin etsintää ajatellen Hvitträsk näyttää harvinaisen ehyeltä ja tasapainoiselta kansallisten ja kansainvälisten tekijöiden yhdistelmältä. Liikkuvuus ja avoimuus ulkoisille vaikutteille sekä toisaalta vankat siteet kotimaahan loivat edellytykset persoonalliselle synteesille. Aikalaiset kokivat Hvitträskin osoitukseksi siitä, että he olivat pyrkineet oikeutettuihin ja toteuttamiskelpoisiin päämääriin. Rakennustaiteellinen muoto sai symboliarvon, joka ulottuu ponnistelusta ja pateettisesta etsinnästä kollektiiviseen 'oman' löytämisen kokemukseen.

In the context of Finnish design and architecture in the 1890s, Hvitträsk represents an exceptionally intact and balanced combination of national and international elements. Flexibility and openness to external influences as well as strong ties to Finland paved the way for a synthesis of a personal kind. Contemporaries experienced Hvitträsk as the result of a well-founded and feasible undertaking. The architecture acquired a symbolic value, which sprang from exertion and heartfelt searching and culminated in a joint experience of the national self.

60

56 Hvitträskin eteläpääty 1910-luvulla.
South gable of Hvitträsk in the 1910s.

57 Pohjoissiiven terassipuutarha 1910-luvulla.
The terraced garden of the north wing in the 1910s.

58 Eteläsiiven terassipuutarha 1910-luvulla.
The terraced garden of the south wing in the 1910s.

59 Saariset eteläsiiven terassipuutarhassa 1910-luvulla.
The Saarinens in the terraced garden of the south wing in the 1910s.

60 Eteläsiiven terassipuutarha 1910-luvulla.
The terraced garden of the south wing in the 1910s.

61 Hvitträskin uimaranta 1910-luvulla.
The bathing shore at Hvitträsk in the 1910s.

61

62 Ateljee 1910-luvun alussa: vas.
Frans Nyberg, kesk. Pipsan Saa-
rinen, oik. Eliel Saarinen

*The studio at the start of the
1910s: Frans Nyberg at left, Pip-
san Saarinen in centre, and Eliel
Saarinen at right.*

ELÄMÄÄ HVITTRÄSKISSÄ

62 Oli luonnollista, että maalle muuttoa ryhdyttiin suunnittelemaan siihen aktiiviseen ja dynaamiseen aikaan, jolloin Suur-Merijokea suunniteltiin ja Gesellius, Lindgren, Saarisen toimiston taloudellinen tila oli verrattain hyvä. Luultavasti asiaa oli vaivihkaa kaavailtu jo ennen vuotta 1901, koska hanke toteutui liikkeelle lähdettyään varsin nopeasti.

Alkukantaisemman elämän kaipuu ja halu päästä kauemmas kaupungin ravintolaelämästä ja ystävistä olivat synnyttäneet yhdeksänkymmentäluvulla taiteilijahuviloita niin Suomessa kuin Ruotsissa ja Norjassakin. Esikuvia löytyi myös Englannista ja Saksasta.

Kirkkonummen Bobäckin kylä oli mielenkiintoinen asuinpaikkavalinta. Sinne asettuminen oli mahdollista siksi, että eteläinen kantarautatie tarjosi vuodesta 1903 lähtien tosin vaivalloisen, mutta kuitenkin kohtuullisen liikenneyhteyden pääkaupungin ja maaseutukodin välille. Arkkitehdithän joutuivat joka tapauksessa pitämään yhteyttä pääkaupungissa sijaitseviin työmaihin ja mahdollisiin rakennuttajiin. Geselliuksella, Lindgrenillä ja Saarisella olikin eri yhteistyökokoonpanoissaan aina toimistotilat myös kaupungissa.

Hiukan yllättävältä saattaa tuntua se, ettei arkkitehtikolmikko liittynyt Tuusulanjärven ympärille muodostuneeseen taiteilijayhteisöön, johon kuului paljon Suomen kulttuurielämän merkkihenkilöitä. He valitsivat Helsingin länsipuoliset melko eristyneet metsät luultavasti siksi, että halusivat enemmän tilaa tai kauniimman ja rauhallisemman tontin kuin Tuusulassa oli tarjolla, tai ehkä heitä ohjasi vain pettämätön dramatiikan taju.

63 Vuonna 1903 Hvitträsk oli valmis ottamaan vastaan asukkaansa. Saarinen oli, kuten sanottu, oleskellut siellä jo rakennusvaiheen aikana. Kesäkuussa 1904 ystävykset olivat kaikki aviopuolisoineen kirjoilla Kirkkonummen seurakunnassa.[13] Sitä ennen oli kuitenkin Saarisen avioliitto Mathilda Gyldénin kanssa purkautunut. Maaliskuussa 1904 kumpikin oli jo vihitty uudelleen, Eliel Saa-
64, 65 rinen Louise Geselliuksen kanssa ja Mathilda Gyldén Herman Geselliuksen kanssa.[14]

Arkkitehtuuritutkija Albert Christ-Janerin mukaan Louise asettui veljensä luo Hvitträskiin palattuaan vuonna 1903 Pariisista, missä oli opiskellut kuvanveistoa In-

LIFE AT HVITTRÄSK

62 *A busy, dynamic period in the office, with Suur-Merijoki manor house on the drawing board and the Gesellius, Lindgren and Saarinen office finances quite stable, was naturally a good occasion to plan a transition to rural living. No doubt the matter had been calmly considered before 1901, as it proceeded with great rapidity once it started.*

An urge to lead a life of more primitive bent, and to be segregated from city restaurant life and friends, was what prompted artists to build retreats in the 1890s in Finland, Sweden and Norway. Examples were to be seen in England and Germany as well.

The village of Bobäck in Kirkkonummi was an interesting choice of location. It became a possible place of residence when the rail line nearer the coast provided a roundabout but tolerable journey between the capital city and a rural home as early as 1903. The architects had to keep in contact with central city construction sites and prospective clients. Gesellius, Lindgren and Saarinen always maintained offices in the city, whatever the extent of their cooperation on particular projects.

It may be a surprise to some that the architect trio did not share the world of the artist community that settled around Tuusula Lake, north of Helsinki, and to which many leading Finnish personalities belonged. Their choice fell instead on the quite isolated wooded area west of Helsinki, either because they desired more space, a more beautiful and remote site than could be had in Tuusula, or because they were led by an unerring sense of the dramatic.

63 *Hvitträsk was ready to receive its occupants in 1903. Saarinen, as stated above, had spent some time there during the construction of the house. All three companions and their wives, were inscribed in June 1904 in the parish register of Kirkkonummi.[13] However, the marriage of Saarinen and Mathilda Gyldén had already collapsed before this date and they had each remarried in March 1904: he married*
64,65 *Louise Gesellius, she married Herman Gesellius.[14]*

According to Albert Christ-Janer, Louise came to stay with her brother at Hvitträsk in 1903 on her return from Paris, where she had studied sculpture under Injalbert.[15] The sister and brother probably resided in the smaller building at this time. Louise (she was referred to as Loja) took part in the work on Suur-Merijoki manor house, which was well

63

64

65

63 Armas Lindgren, Eliel Saarinen, Albertina Östman ja Herman Gesellius opiskeluaikanaan.

Armas Lindgren, Eliel Saarinen, Albertina Östman and Herman Gesellius as students.

64 Mathilda Gesellius (ent. Saarinen, synt. Gyldén).

Mathilda Gesellius (formerly Saarinen, née Gyldén).

65 Herman Gesellius.
Herman Gesellius.

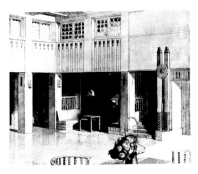

jalbertin oppilaana.[15] Sisarukset asuivat tuolloin todennäköisesti piharakennuksessa. Louise, eli Loja, kuten häntä kutsuttiin, osallistui Suur-Merijoen suunnittelutyöhön, joka oli hyvässä vauhdissa kesällä 1903. Kartanossa oli puuveistos, jonka Taideteollisuuskeskuskoulun oppilaat ovat veistäneet Lojan mallin mukaan.[16] Sama veistos löytyy Hvitträskistä pronssiin valettuna. Loja oli kiinnostunut myös tekstiilitaiteesta, ja hän näyttää sulautuneen täysin luontevasti toimiston työyhteisöön.

Keväällä 1904 Saarinen voitti paljon kohua aiheuttaneen Helsingin asemarakennuskilpailun — se oli hänen ensimmäinen yksin tekemänsä työ. Pian sen jälkeen Eliel ja Loja Saarinen matkustivat ulkomaille useaksi kuukaudeksi tutustumaan eurooppalaisiin rautatieasemiin.[17] Saman vuoden syksyllä Saarinen voitti vielä Viipurin rautatieasemakilpailun, tälläkin kertaa ilman toisten apua. Samaan aikaan jatkuivat Kansallismuseon piirustustyöt, joihin erityisesti Lindgren oli paneutunut.

Arkkitehtuuritoimisto Gesellius, Lindgren, Saarinen hajosi vuoden vaihteessa 1904–05.[18] Armas Lindgren, joka oli toiminut Taideteollisuuskeskuskoulun (nykyisen Taideteollisen korkeakoulun) taiteellisena johtajana jo vuodesta 1902 lähtien, muutti perheineen takaisin Helsinkiin tammikuun alussa 1905.[19] Hän tuli siis asuneeksi Hvitträskissä vain runsaan vuoden, vaikka oli uhrannut niin paljon rakkautta ja vaivannäköä kotinsa suunnitteluun.

Lindgrenin lähtö ei johtunut pelkästään Hvitträskissä vallinneesta tilanteesta, vaikka sekin varmasti vaikutti asiaan. Toimiston arkkitehtuurikäsityksessä oli vuonna 1904 tapahtumassa muutos, ja Helsingin rautatieaseman kilpailuun liittynyt polemiikki toi sen varmaankin kärjistetysti esille. Juuri Lindgrenin näyttää olleen vaikeinta luopua kansallisromantiikan 'suomalaisista' piirteistä.[20]

Lindgrenin lähtö tapahtui kaikessa ystävyydessä, mutta oli myös melko selvä kannanotto tilanteeseen. Lindgren myi Hvitträskin osuutensa Saariselle ja Geselliukselle,[21] ja päärakennuksen pohjoissiivestä, 'Lindgrenin puolesta', tuli pian Geselliusten koti.

Saarinen ja Gesellius pitivät yhteistä toimistoa Hvitträskissä vuosina 1905–07. Eniten huomiota ja käytännön suunnittelutyötä vaativat Helsingin ja Viipurin asemarakennukset. Kansallismuseon rakennustyössä olivat kaikki entisen Gesellius, Lindgren, Saarisen toimiston osakkaat vielä mukana,[22] mutta Lindgren kantoi siitä raskaimman

under way in summer 1903. It contained a sculpture piece in wood, fashioned by students at the Central School of Applied Arts, after a model by Loja.[16] A facsimile in bronze is to be seen at Hvitträsk. Loja was interested in textiles too and appears to have found a natural place in the work of the office community.

In spring 1904, Saarinen won first prize in a much debated competition for Helsinki Railway Station. It was the first time he had competed in his own name. Shortly after that, he and Loja Saarinen travelled abroad for several months, becoming familiar with the railway stations of Europe.[17] He won the Viipuri Railway Station competition in autumn of that year also, without the help of Lindgren and Gesellius. Meanwhile, the drawings for the National Museum were being prepared, which merited Lindgren's special attention.

The architectural partnership of Gesellius, Lindgren and Saarinen broke up at the turn of the year 1904–05.[18] Armas Lindgren, appointed artistic director of the Central School of Applied Arts in 1902 (it is now known as the University of Industrial Arts) retired with his family to Helsinki at the start of January 1905.[19] He thus lived at Hvitträsk for just over a year before giving up the home he had built with such loving care.

Lindgren's departure was not due solely to the situation in Hvitträsk, even if this also had a bearing on the case. A change had occurred in 1904 in the way the three architects approached their work, highlighted by the polemics in the wake of the Helsinki railway station competition. Lindgren, especially, found it difficult to abandon the 'Finnish' motifs belonging to the National Romantic Style.[20]

His departure took place under amicable terms but it was evidence of a stand based on principle. Subsequently, Lindgren sold his interest in Hvitträsk to Saarinen and Gesellius,[21] and the north wing of the main building (the Lindgren section) soon became the Gesellius' home.

Saarinen and Gesellius had a joint practice in Hvitträsk between 1905–07. The railway stations in Helsinki and Viipuri and related practical design problems demanded most attention. The associates of the former Gesellius, Lindgren and Saarinen office were all involved in the construction of the National Museum,[22] but Lindgren bore principal responsibility. Saarinen and Gesellius were also designing 69 'Haus Remer' as an integral work of art in Mark Bran-

70   71

66 Eliel Saarinen: Helsingin rautatieasema. Tussi- ja vesiväripiirustus vuodelta 1910.
Eliel Saarinen Helsinki Railway Station. Ink and wash drawing, 1910.

67 Eliel Saarinen: Viipurin rautatieasema. Tussi- ja vesiväripiirustus.
Eliel Saarinen: Viipuri Railway Station. Ink and wash drawing.

68 Gesellius, Lindgren, Saarinen: Kansallismuseo, kilpailuehdotus. Tussipiirustus vuodelta 1902.
Gesellius, Lindgren, Saarinen:
The National Museum, competition entry. Ink drawing, 1902.

69 Herman Gesellius ja Eliel Saarinen: Haus Remer, hallin suunnitelma. Eliel Saarisen tussi- ja vesiväripiirustus vuodelta 1906.
Herman Gesellius and Eliel Saarinen: Haus Remer, design for hall. Ink and wash drawing by Eliel Saarinen, 1906.

70 Herman Gesellius.
Herman Gesellius.

71 Mathilda ja Herman Gesellius.
Mathilda and Herman Gesellius.

vastuun. Saarinen ja Gesellius suunnittelivat lisäksi Berliinin pohjoispuolelle Mark Brandenburgiin kokonaistaide-
69 teoshuvilan, Haus Remerin. Talon valmistuessa 1907–08 olivat Saarisen ja Gesselliuksen tiet jo erkaantuneet ja kumpikin oli perustamassa omaa toimistoaan. Näihin aikoihin rakennettiin Hvitträskin ateljeen poikki oveton väliseinä.

Emme tiedä, miten nämä seikat vaikuttivat Hvitträskin yhteiselämään, mutta ne, jotka olivat myöhemmin töissä Saarisen toimistossa, näkivät Gesselliusta ja Mathildaa niin harvoin, ettei heillä oikeastaan ole mielikuvaa kummastakaan. Toisaalta Gesellius sairastui vuonna 1912 ja eli viimeiset vuotensa syrjään vetäytyneenä.[23] Hän kuoli vuonna 1916.

Hvitträskin pohjoissiipi, 'Lindgrenin puoli', koki perin-

denburg, to the north of Berlin. By the time the house reached completion in 1907–08, Saarinen and Gesellius had each gone separate ways to set up individual practices. At this point, the solid partition that divided the studio in Hvitträsk was erected.

The effect of such happenings on everyday life at Hvitträsk can only be surmised. Those who later worked in Saarinen's office saw Gesellius and Mathilda so rarely that they have no clear recollection of either of them; furthermore, Gesellius fell ill in 1912 and was a recluse for his remaining years.[23] He died in 1916.

70, 71
72-80 *The north wing of Hvitträsk (the Lindgren section) was totally altered after Mathilda and Herman Gesellius came to occupy it. The log wall interiors were given a white plaster finish, and the original built-in furniture was replaced with*

72

73

74

75
76

77

72 Pohjoissiiven olohuone Geselliusten aikana, valokuva luultavasti 1910-luvulta.
   Living room of the north wing in the Gesellius' day. Photograph, probably dating from the 1910s.

73 Pohjoissiiven olohuone.
   Living room of the north wing.

74 Pohjoissiiven olohuone.
   Living room of the north wing.

75 Pohjoissiiven ruokasali.
   Dining room of the north wing.

76 Pohjoissiiven tarjoiluhuone.
   Servery of the north wing.

77 Pohjoissiiven kirjasto(?).
   Library(?) of the north wing.

78 Pohjoissiiven pukeutumishuone.
   Dressing room of the north wing.

79 Pohjoissiiven makuuhuone.
   Bedroom of the north wing.

80 Pohjoissiiven kylpyhuone
   Bathroom of the north wing.

70, 71 pohjaisen muutoksen Herman ja Mathilda Geselliuksen
72-80 muutettua sinne. Sisätilojen hirsiseinät muutettiin valkoi-
siksi kalkituiksi pinnoiksi, ja alkuperäinen enimmäkseen
kiinteä kalustus korvattiin eleganteilla saksalaisvaikuttei-
silla huonekaluilla.

72 Tuvan iso takka uudistettiin. Yläkerran porras sai ryh-
78 dikkäämmän ilmeen. Entisestä lastenhuoneesta tehtiin
80 Mathildan pukeutumishuone, ja kylpyhuoneeseen tuli
lattiaan upotettu amme, puolen seinän aukko pukuhuo-
79 neeseen ja kaakeliverhous.24 Makuuhuone muistutti mel-
koisesti Haus Remerin makuuhuonetta, jonka Gesellius
oli suunnitellut. Geselliuksilla ei ollut lapsia.

Ero Lindgreniä innoittaneeseen raskaaseen primitivismiin
tuntuu huomattavalta, varsinkin kun otetaan huomioon,
että sisustusten välillä oli kulunut vain viitisen vuotta.

elegant pieces in a German style.

72 *The big fireplace in the living room was rebuilt. The stair-*
way to the upper floor was given a stouter appearance. The
78 *former children's room was turned into a boudoir for*
80 *Mathilda. A sunken bath was installed in the bathroom, a*
full-height opening made between it and the dressing room
79 *and tiled finishes added.24 The bedroom was fairly reminis-*
cent of the bedroom in Haus Remer, which Gesellius had
designed. The Gesellius' did not have any children.

There was a marked difference between this and the sturdy
primitivism that was Lindgren's inspiration, the more so
since these changes occurred within a space of five years.
As may be seen from Saarinen's interiors in the south wing,
alterations followed one another with great rapidity at this
period.

80

78

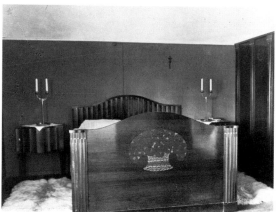

79

81

82

Muutoksia tapahtui siihen aikaan muutenkin tiuhaan, kuten voidaan todeta myös Saarisen eteläsiiven sisustuksista.

82 Gesellius ei kilpaile Saarisen kanssa itsenäisten töiden lukumäärässä, mutta niiden laatu osoittaa, ettei hänen osuuttaan toimiston yhteisissä töissä pidä väheksyä. Kaikille hänen rakennuksilleen on ominaista rakenteellinen selkeys ja täsmällisyys, puhtaat muodot ja erinomaiset suhteet.

Gesselliuksen 'rinta- ja nenätauti' on kaiketi ollut tuberkuloottinen kasvain, joka aiheutti hitaan kuihtumisen ja varhaisen kuoleman. Hänen hautansa on kuusien alla Hvitträskin rannassa, jonne Eliel Saarinenkin myöhemmin haudattiin.

Gesselliuksen kuoleman jälkeen Mathilda myi osuutensa Hvitträskistä Saarisille,[25] jotka saivat siis talon kokonaan omistukseensa vasta 1916. Mathilda muutti muutaman vuoden kuluttua Ranskaan, joutui taloudellisiin vaikeuksiin, tuli sosiaalisesti juurettomaksi ja kuoli Etelä-Ranskassa vuonna 1921.[26]

83 Armas Lindgrenin elämänvaiheet eivät olleet romanttiset samalla tavoin kuin Saarisen tai Gesselliuksen. Hänessä ei myöskään ollut heille tyypillistä vähän aristokraattista 'noli me tangere' -asennetta. Lindgren tuntuu olleen ulospäin suuntautunut ja avara persoonallisuus, lämmin

84 ihminen. Hänellä oli vilkas perhe-elämä ja suuri määrä oppilaita niin Taideteollisuuskeskuskoulussa kuin myöhemmin Teknillisessä korkeakoulussa — nuoret saivat häneltä ilmeisesti runsaasti huolenpitoa ja mielenkiintoa.[27]

Lindgren oli innostunut ja kyvykäs pedagogi, ja monipuolisten tehtävien vuoksi hänen asemansa välittäjänä oli varmasti tärkeä. Hänen panoksensa Gesellius, Lindgren, Saarisen toimistossa oli kuitenkin paljon muuta kuin välittämistä. Yhteistyö Gesselliuksen ja Saarisen kanssa vapautti hänessä luovuutta, joka ei myöhemmin enää näyt-

81 täytynyt yhtä selvänä. Lindgrenin yksinään tekemät työt eivät ole aivan niin omaleimaisia kuin Gesselliuksen työt, vaikka hän saikin sellaisia suuria ja mielenkiintoisia tehtäviä kuin Tallinnan Estonia-teatteri ja Tarton Wanemuine.

Lindgren kuoli 1929, kuusi vuotta sen jälkeen kun Saarinen oli muuttanut Yhdysvaltoihin. Hänen hautansa ei ole

Gesellius does not rank with Saarinen in the amount of individual projects he handled, but their unmistakable quality indicates that his contribution to the joint practice should not be underestimated. All his buildings carry the stamp of constructional clarity and exactitude, concise forms, and fine proportions.

The bronchial disease from which Gesellius suffered was to all appearances a tubercular cancer that made him wither away and die a premature death. His grave lies in the lee of the spruces near the lakeshore in Hvitträsk, where Eliel Saarinen was also later buried.

After the death of Gesellius, Mathilda sold her share in Hvitträsk to the Saarinens.[25] They gained possession of the house in 1916. After a few years, Mathilda went to live in France. She fell on hard times, broke with her acquaintances, and died in the south of France in 1921.[26]

Armas Lindgren's life was not romantic in the same way as those of Saarinen and Gesellius. He did not exhibit the same aristocratic 'noli me tangere' tendencies characteristic of them. Lindgren seems to have been an outgoing and sincere character, a warm person. He enjoyed a busy family life and his many students in the Central School of Applied Arts, as later in the University of Technology, obviously benefited from the attention and interest with which he followed their efforts.[27]

Lindgren was an enthusiastic and capable teacher, whose many duties gave him the opportunity to play the important role of mediator in current issues. However, his personal output in the Gesellius, Lindgren and Saarinen partnership was much more than that of a simple mediator. His co-operation with Gesellius and Saarinen released in him a creative urge, which subsequently lost momentum. The projects he did alone lacked something of the quality that characterised those of Gesellius. Among the large-scale and interesting commissions he was given were the Estonia Theatre, Tallinn and the Wanemuine in Tartu, Estonia.

Lindgren died in 1929, six years after Saarinen went to the United States. His grave is not at Hvitträsk; instead he lies next to his relatives, friends and neighbours in a cemetery he designed on an island north of Kulosaari, in Helsinki.

The surroundings of Hvitträsk left strong and lasting impressions on those who resided there. Life at the house functioned according to the principles underlying its con-

83   84

81 Armas Lindgren: Vakuutusyhtiö Kalevan talo, Helsinki. Valmistunut 1914.

Armas Lindgren: The Kaleva Insurance Company building, Helsinki. Completed in 1914.

82 Herman Gesellius: Wuorion liiketalo, Helsinki. Valmistunut 1908.

Herman Gesellius: The Wuorio Commercial building, Helsinki. Completed in 1908.

83 Armas Lindgren.

Armas Lindgren.

84 Irene ja Armas Lindgren tyttärineen.

Irene and Armas Lindgren with their daughters.

Hvitträskissä, vaan hän lepää itse suunnittelemallaan hautausmaalla Kulosaaren pohjoispuolella sijaitsevalla saarella perheenjäsenten, ystävien ja naapurien rinnalla.

Hvitträsk oli niin vaikuttava ja voimakaspiirteinen ympäristö, että se löi leimansa asukkaisiin. Talo toimi niiden periaatteiden mukaisesti, jotka olivat olleet sen suunnittelun lähtökohtina: työ, elämä ja taide ovat yhtä, eikä luovaa työtä voi paloitella osiin. Elämä oli saanut Hvitträskissä selkeät fyysiset puitteet, ja ympärillä olleen omaperäisen kauneuden on täytynyt tuntua haastavalta ja innostavalta.

Hvitträskin elämäntapa on varmasti vaikuttanut Lojan ja Elielin kasvavaan kiintymykseen: juuri täällä tultaisiin elämään ja tekemään työtä, siinä mielessä avioliittokin solmittiin. Saaristen yhteiselämä kesti 46 vuotta.

85-88 Louise Gesellius oli ollut lahjakas nuori kuvanveistäjä
89-98 naimisiin mennessään, mutta avioliiton myötä kuvanveisto jäi. Loja Saarisella oli kuitenkin näkyvä rooli Elielin rinnalla, ja Hvitträskin toimivuutta on pidettävä paljolti hänen ansionaan. Loja piti huolta myös puutarhasta, se käy ilmi hänen myöhemmästä kirjeenvaihdostaan Johannes Öhquistin kanssa, joka Saaristen muutettua Yhdysvaltoihin asui Hvitträskin piharakennuksessa.[28] Cranbrookissakin Loja osallistui aktiivisesti puiston ja kukkaistutusten suunnitteluun. Hänen itsenäinen luova kautensa sijoittuu pääasiallisesti siihen aikaan, jolloin hän toimi tekstiiliosaston johtajana Cranbrook Academy of Artissa, jota Eliel Saarinen johti vuosina 1925–50. Hvitträskissä Loja harrasti batiikkitöitä ja opetti tekniikan tyttärelleen Pipsanillekin.[29]

Loja oli tunnetusti elegantti, mikä sopi Hvitträskin elämäntapaan. Hän suunnitteli ja ompeli vaatteensa itse. Saarisen melko luonnosmaisesti hoidetun talouden horjuvan edustustilin varassa muu olisi tuskin ollut mahdollistakaan.

Saarisen avustajat olivat tiiviisti mukana talon elämässä, ja oleskelu Hvitträskissä on ollut monelle ainutlaatuinen kokemus. Muutamat 1910-luvulla toimistossa työskennelleistä ovat siitä kertoneetkin — Frans Nyberg ehkä seikkaperäisimmin ja eloisimmin: "Ateljeesta tuli meille piirtäjille Hvitträskin keskipiste. Taiteellisen työn lumous veti sinne muuten tavallisesti myös koko Saarisen perheen. Jopa nuori Eero-poikakin eli Poju, joka minun

ception: work, life and art were one; creative work could not be divided into parts. A natural orderliness marked life at Hvitträsk, and the particular beauty of the surroundings must have been both challenging and inspiring.

The style of life at Hvitträsk certainly had a bearing on the relationship between Loja and Eliel: this was the very place they wanted to live and work and it was for this that they married. Their life together lasted 46 years.

85-88 *At the time of her marriage, Louise Gesellius had shown*
89-98 *promise as a young sculptress but did not pursue this art form after her marriage. She filled a prominent role at her husband's side and the smooth running of Hvitträsk owed much to her ingenuity. She also cared for the garden, as transpired from her subsequent correspondence with Johannes Öhquist, who occupied the smaller building, after the Saarinens left for the United States.[28] Later, she was actively engaged in designing the gardens and plants at Cranbrook. Her independently creative period was when she was in charge of the textile section at the Cranbrook Academy of Art of which Eliel Saarinen was director between 1925–50. Loja did batik work at Hvitträsk and taught the technique to her daughter Pipsan.[29]*

Loja had a reputation for dressing well, which accorded with the life style at Hvitträsk. She designed and made what she wore. Any other course would hardly have been possible, given the funds Saarinen set aside for formal occasions, after he had casually deducted other outgoings from their income.

Saarinen's assistants were also involved in daily life at Hvitträsk, and it was a unique experience for many of them. Some of those who worked there after 1910 have described conditions in the office, Frans Nyberg most graphically of all: "At Hvitträsk, the studio was the centre of gravity for us draughtsmen. Enthralment with the pursuit of art usually gripped the entire family as well. Even young Eero, called Poju, who was only a kid when I arrived in the house, and who called the forest trees 'posts', came into the studio, where our shadow and perspective constructions obviously aroused his mathematical aptitudes. He set himself to make octohedrons and duodecahedrons with the aid of paper and glue, and envisaged 'mirror' perspectives which we had never used. He was an innate geometrician, and pursued unstintingly every kind of problem, not relenting until he had got a satisfactory answer, if not from us then from himself."[30]

85

88

86

87

85– Loja Saarinen.
87 *Loja Saarinen.*

88 Eero, Loja ja Pipsan Saarinen Hvitträskin kirjastossa. Eliel Saarisen öljyvärimaalaus 1910-luvulta.

    Eero, Loja and Pipsan Saarinen in the Hvitträsk library. Painting by Eliel Saarinen in the 1910s.

89 Eliel Saarinen.
   Eliel Saarinen.

90 Saariset.
   The Saarinens.

91 Eliel ja Eero Saarinen.
   Eliel and Eero Saarinen.

92 Kolme polvea Saarisia, oikealla
   isoisä Juho Saarinen.
   *Three generations of Saarinens:
   grandfather Juho Saarinen at
   right.*

93 Eero Saarinen.
   Eero Saarinen.

94 Eero ja Loja Saarinen.
   Eero and Loja Saarinen.

95 Eero Saarinen.
   Eero Saarinen.

96 Pipsan Saarinen.
   Pipsan Saarinen.

97 Loja, Eero ja Eliel Saarinen ke-
   sälomalla Hvitträskissä, valoku-
   va ilmeisesti 1920-luvun lopulta.
   *Loja, Eero and Eliel Saarinen on
   a summer holiday in Hvitträsk.
   Photograph probably dating from
   the end of the 1920s.*

98 Eliel Saarinen kesälomalla Hvit-
   träskissä. Valokuva 1920- tai 30-
   luvulta.
   *Eliel Saarinen on a summer holi-
   day at Hvitträsk. Photograph
   dating from the 1920s or 1930s.*

89

90

91

92

93

94

95

96

97

98

99

100

101

99 Olga Gummerus-Ehrström.
Olga Gummerus-Ehrström.

100 Eric O.W. Ehrström. Omakuva vuodelta 1933.
Eric O.W. Ehrström. Self portrait, 1933.

101 Otto-I. Meurman ja Eliel Saarinen.
Otto-I. Meurman and Eliel Saarinen.

102 Piharakennus. Eric O.W. Ehrströmin puukaiverrus vuodelta 1909.
The smaller building. Woodcut by Eric O.W. Ehrström, 1909.

103 Piharakennus. Eric O.W. Ehrströmin linoleikkaus(?) vuodelta 1910.
The smaller building. Eric O.W. Ehrström. Linocut(?), 1910.

104 Piharakennuksen interiööri. Eric O.W. Ehrströmin puukaiverrus vuodelta 1908.
The interior of the smaller building. Woodcut by Eric O.W. Ehrström, 1908.

102

103

104

sinne tullessani oli pieni tenava ja sanoi metsän puita 'tölpiksi', tuli ateljeehen, missä meidän deskriptiiviset varjo- ja perspektiivikonstruktiomme saivat selvästi hänen matemaattisen lahjakkuutensa liikkeelle. Paperin ja liiman avulla hän teki oktaedreja ja dodekaedreja ja pohdiskeli sellaisia 'peili'-perspektiivejä, joita me emme olleet koskaan käyttäneet, esitti synnynnäisen geometrikon lannistumattomalla sinnikkyydellä kaikenlaisia kysymyksiä eikä luopunut ennen kuin oli saanut vastauksen — jos ei meiltä niin itseltään."30

100 Paitsi taiteellisia yhteistyökumppaneita, kuten Eric O. W.
99 'Bucklan' Ehrströmiä ja hänen puolisoaan Olga Gum-
102- merus-Ehrströmiä, jotka asuivat vuoden 1910 tienoilla
104 muutaman vuoden piharakennuksessa (heillä oli ateljee
32 piharakennuksen taakse tehdyssä lisäosassa, joka on ny-kyään kuisti) tai alkuvaiheessa naapurina asunutta Väinö Blomstedtia saattoi Hvitträskissä ajoittain olla suurikin joukko piirtäjiä ja arkkitehteja, jotka piti tavalla tai toisella sopeuttaa talon elämäntapaan. Melko moni sen ajan arkkitehti työskenteli ja asui siellä, 1910-luvulla Frans Nybergin lisäksi mm. Kaarlo Könönen, Yngve Lager-
101 blad, Berndt Aminoff ja Otto-Iivari Meurman.31

Työtahti oli yleensä kiihkeä: "Eliel Saarisen persoonalli-suudessa yhdistyivät suotuisasti taiteellinen lahjakkuus, älykkyys, tarmo ja kunnianhimo, vakavuus ja pirteä huu-mori, ja siksi hän oli kuin luotu vaikka minkä mittaisiin kilpailutöihin. ... Australialaisten järjestämää Canberran kilpailua tehtäessä joskus ensimmäisinä Hvitträskin vuo-sinani aika lienee huvennut vähiin loppuvaiheessa. Kahden viimeisen viikon ajan teimme nimittäin työtä kahteen tai kolmeen yöllä. Siltä ajalta säilynyt muistikirja kertoo 15–16 tunnin tehokkaista työpäivistä koko loppukirjan ajan. Muistan maanneeni päiväkausia mahallani antipodisen pääkaupungin yleisnäkymien päällä pöydällä, jolla tehtiin perspektiivipiirustukset. Kun Saarinen oli lopulta viimeis-tellyt näkymät omakätisesti ja loistavasti, tuntui melkein siltä kuin olisi siirtynyt maapallon toiselle puolelle.

Mutta työpäivän päätteeksi, kun aamun sarastus oli al-kanut syrjäyttää kaarilamppujen valon, uurastus sai palkkansa. Loja-rouva tuli sisään kantaen tarjottimella voileipiä ja unkarilaista viiniä, ja me tunsimme itsemme tuhannen ja yhden yön prinsseiksi lojuessamme pehmeil-lä sohvilla kirjavilla unkarilaistyynyillä. ... muutaman kuukauden kuluttua tyhjennettiin ateljeessa kuohuva malja korkean mielialan vallitessa, kun oli saatu sähkeit-se tieto toisen palkinnon tulosta Hvitträskiin."32

Apart from the various people involved in artistic endeav-
100 *ours, such as the Ehrström couple, Eric O.W. 'Bucklan' and*
99 *his wife Olga Gummerus-Ehrström, who lived for some*
102- *years in the smaller building around 1910 (they had a stu-*
104 *dio in an extension to this building, now converted to a*
32 *verandah), and Väinö Blomstedt, a neighbour in the early years, there happened on occasion to be a fair number of draughtsmen and architects, who had to be fitted into the rhythm of the house. Quite many architects of the time lived and worked there: in the second decade of the century for instance Frans Nyberg, Kaarlo Könönen, Yngve Lager-*
101 *blad, Berndt Aminoff and Otto-Iivari Meurman.31*

They worked almost incessantly: "Eliel Saarinen was a happy mixture of artistic ability, intelligence, energy, ambi-tion, seriousness and wit. This made him an ideal person for even the most demanding of competitions. . . . Time began to run short while we were involved in the Canberra compe-tition, arranged by the Australians during my early years at Hvitträsk. We worked until two and three in the morning during the last two weeks: A diary of the time tells of fif-teen and sixteen-hour working days. I recall lying out-stretched for days on a table used for perspectives over general views of the antipodal city. When Saarinen had fi-nally finished the views with his own inimitable hand, we had the impression that we were at the far side of the globe.

But as the working day drew to an end, and the light of dawn dispelled that of the lamps, our toil was rewarded as Mrs Saarinen came in carrying a tray of sandwiches and Hungarian wine and we, reclining on soft couches against coloured Hungarian cushions, felt like so many princes from A Thousand and One Nights. . . . some months later, when we heard by telegram that Hvitträsk had gained se-cond place in the competition, we celebrated in the studio by toasting one another with glasses of sparkling wine."32

KOTI TAIDETEOKSENA

Hvitträskin Saarisen puolta ei sisustettu yhdellä kertaa, koska siinä oli enemmän kuin kylliksi tilaa kahdelle hengelle. Esikoinen, Pipsaniksi kutsuttu tytär Eva-Lisa, syntyi 1905 ja poika Eero eli Poju viisi vuotta myöhemmin.

105 Lasten makuuhuone ja leikkihuone toisen kerroksen järvenpuoleisessa osassa sisustettiin vasta vuoden 1908 paikkeilla.[33] Ylähalli oli siihen aikaan melko pimeä, kun lasten makuuhuoneen seinä esti päivänvalon tulon. Silloisen lasten makuuhuoneen ikkuna on nykyään melkein kolme kertaa suurempi ja hallin vastainen seinä on poistettu (muutokset on tehty 1950-luvulla). Pipsanin ja Eeron makuuhuoneen ja lastenkamarin välillä ei ollut sei-

106 nää, vaan puinen säleikkö.[34] Lastenkamarin sisustus on kaudelta, jolloin Saarisen mielenkiinto skotlantilaista arkkitehti C. R. Mackintoshia kohtaan oli suurimmillaan. Muita samanaikaisia sisustuksia ovat Haus Remer — yhdessä Geselliuksen kanssa — sekä Aug. Keirknerin ruokasali ja kirjasto Luotsikadulla Helsingissä.

Nykyisten pihanpuoleisten kylpyhuoneiden paikalla oli lastenhoitajan, myöhemmin kotiopettajan huone.[35] Vanhempien makuuhuoneen takana sijaitseva suuri kylpyhuone on alkuperäinen, joskin sitä on jonkin verran muutettu.

Elielin ja Lojan makuuhuoneen sisustusajankohta on

79 epävarma. Vuode muistuttaa tyypiltään sitä, jonka Gesellius hankki itselleen muutettuaan Hvitträskin pohjoissiiven asuntoon. Samantyyppinen peilipöytä taas löytyy Lindgrenin varhaisesta luonnoskirjasta. Voidaan olettaa, että tiettyjä huonekalutyyppejä kehiteltiin melko hitaasti ja että ystävykset lainailivat malleja toisiltaan kutakuinkin vapaasti.

107 Makuuhuoneen vieressä olevasta pienestä budoaarista, kukkahuoneesta, puuttui sisustus kukkapöytää ja tavallisia korituoleja lukuun ottamatta vielä vuoden 1908 paikkeilla.[36] Huoneen on täytynyt olla hyvin lämmin, sillä Loja kasvatti siellä orkideoja.[37] Myöhemmin hankituissa sohvassa ja tuoleissa oli alun perin pellavapäälliset.[38]

Eteläpäädyn makuuhuoneet olivat kauan sisustamatta, ja vasemmanpuoleinen kalustettiin luultavasti sekalaisilla

108 vanhoilla huonekaluilla. Oikeanpuoleisesta tehtiin ensin naisten makuuhuone ja Pipsanin tultua murrosikäiseksi hänen huoneensa.[39] Huoneen kangastapetti (Sanderson) oli tuotannossa vielä 1970-luvulla, jolloin huone korjat-

105

106

105 Päärakennuksen eteläsiiven lastenhuone (leikkihuone) 1908–09.

Children's room (playroom) in the south wing of the main building, 1908–09.

106 Suur-Merijoen lastenhuoneen suunnitelma. Herman Geselliuksen tussi- ja vesiväripiirustus vuodelta 1903.

Design for the children's room at Suur-Merijoki manor house. Ink and wash drawing by Herman Gesellius, 1903.

107

108

107 Kukkahuone.
The flower room.

108 Oikeanpuoleinen vierashuone, nk. ruusukamari, 1910-luvulla.

The guest room on the right side in the 1910s, otherwise known as the rose room.

THE HOME AS A WORK OF ART

The Saarinen's section of Hvitträsk was not furnished completely at the start, since there was more space than two people needed. Their daughter Eva-Lisa, called Pipsan, was born in 1905, and Eero their son, called Poju, five years 105 later. The children's bedroom and playroom on the first floor overlooking the lake was not furnished until about 1908.[33] It was then fairly dark in the upper hall as the wall of the children's room obscured the light. The window of this room is now almost three times the size it was then, and the wall between this room and the upper hall has been removed. The alterations were made during the 1950s. Only a wooden screen, not a wall, separated Pipsan's and 106 Eero's bedroom and the nursery.[34] The nursery interior dates from the time when Saarinen was greatly impressed by the Scottish architect, Charles Rennie Mackintosh. Among other interiors designed contemporaneously are: Haus Remer (together with Gesellius), and the dining room and library for Aug. Keirkner at Luotsikatu, in Helsinki.

The room used by the nurse (and later the governess) was where the bathrooms overlooking the courtyard are today.[35] The large bathroom behind the main bedroom is in its original position, even it has been somewhat altered.

It is not clear when the master bedroom was furnished. The 79 style of the bed is reminiscent of one Gesellius acquired when he moved into the north wing of Hvitträsk. A dressing table in a similar vein appears in an early draft by Lindgren. One may suppose that certain forms of furniture developed at a slow pace and that the colleagues freely availed of each other's models.

107 The little boudoir (or flower room) next to the bedroom remained rather bare until about 1908, apart from the flower table and simple cane chairs.[36] The room must have been very warm, since Loja had orchids growing there.[37] The sofa and chairs acquired later were originally upholstered in linen.[38]

The interiors of the bedrooms on the south front were long unfurnished, and the one on the left presumably had a var-108 iety of old furniture in it. The one on the right was at first a bedroom for lady guests, becoming Pipsan's when she had reached her teens.[39] The Sanderson textile wall covering was still being produced, when the room was redecorated in the 1970s.[40] The attic room can only be surmised. It was

tiin.[40] Ullakkokerroksen huoneesta ei ole täsmällisiä tietoja. Sitä käyttivät joko palvelusväki tai satunnaisesti majoitettavat arkkitehdit.

110 Alakerrassa tyydyttiin aluksi täydentämään kiinteää kalustusta — takkanurkkauksia ja penkkejä — korituoleilla ja taljoilla. Vähitellen hankittiin kuitenkin elegantimpia huonekaluja, jolloin kokonaisuudesta tuli hienostuneempi.

Vanhoissa valokuvissa näkyvästä tuvan kaapista oli jo puhetta. Eräässä kuvassa näkyy kaapin vieressä kaksi tuolia. Ne näyttäisivät olevan peräisin 'Wigwam'-kalustosta, jonka Saarinen oli suunnitellut työhuoneen kalustoksi Suomen Yleisen Käsiteollisuusyhdistyksen vuonna

occupied either by domestic staff, or by architects who happened to be living in the house.

110 The built-in furniture of the ground floor interiors was composed mainly of inglenooks and seating, supplemented first with cane chairs and animal skins. More elegant pieces were later acquired, giving the rooms a more distinguished air.

Mention was made earlier of the cabinet which appeared in old photographs. In some of these, it is flanked by two chairs. These seem to be part of the 'Wigwam' series for office use, submitted by Saarinen in The Finnish General Handicraft Society competition of 1902. Saarinen was placed second in the competition. A sofa along similar lines

110

111

109 Ruokasali.
The dining room.

110 Tupa vuosina 1906–07.
The living room, 1906–07.

111 Tupa vuosina 1906–07.
The living room, 1906–07.

1902 järjestämään kilpailuun. Saarinen sai kilpailussa toisen palkinnon. Hvitträskin leikkauspiirustukseen on suurtuvan vastakkaiselle seinälle piirretty samanhenkinen sohva.[41]

111 Iso kirjahylly sorvattuine pilareineen ja takkanurkkaus
112 tuoleineen esiintyvät jo vuonna 1907 julkaistuissa kuvissa.[42] Edellä mainittu raskas kaappi oli silloin vielä paikallaan, mutta se korvattiin ennen pitkää suurella kirjoituspöydällä, joka siirrettiin myöhemmin kirjastoon. Kir-
115 joituspöytä on valmistunut 1907.[43]

Kesti aikansa ennen kuin kirjastosta tuli nykyisensä. Aikaisemmin sen täytti suuri biljardipöytä, joka tarjosi ark-
114 kitehdeille virkistystä työn lomassa. Kirjaston hyllyt ja

stands against the opposite wall of the big living room in a sectional drawing for Hvitträsk.[41]

111 *The large bookshelf decorated with lathe-turned verticals,*
112 *and the inglenook with matching chairs appear in a photograph published as early as 1907.[42] The weighty cabinet mentioned above stood there at the time, but was replaced before long by a large writing desk, which moved in turn to*
115 *the library. The writing desk dates from 1907.[43]*

Quite some time elapsed before the library adopted its
114 *present layout. In earlier years, it had a large billiard table that afforded relaxation to the architects while they*
115 *worked. The library shelves and the writing desk were*
116 *placed in position probably around the year 1916.*

112

114

113

115

¹¹⁵ ¹¹⁶ kirjoituspöytä sijoitettiin paikoilleen luultavasti vuoden 1916 tienoilla.

¹¹⁸ Ateljee jaettiin kahtia vuonna 1908 Gesselliuksen ja Saarisen yhteisen toimiston hajottua. Saarisen puolella oli väliseinän pihanpuoleisessa nurkassa punaruskea kaakeliuuni, joka purettiin ja siirrettiin vastakkaiselle seinälle lähemmäs kirjastoa 1950-luvulla.[44] Tiedossa ei ole minne kaikki piirustuspöydät sijoitettiin ateljeen pienennyttyä yhtäkkiä. Niitä on saattanut olla esimerkiksi eteläpäädyn vierashuoneissa. 1910-luvulla piirustussalina käytettiin myös Bucklanin entistä ateljeeta piharakennuksen takaosassa.[45]

Unkarilaiset tyynyt, joilla Frans Nyberg on kertonut lo-

¹¹⁸ *The drawing studio was divided in 1908 when the joint practice of Saarinen and Gesellius broke up. On Saarinen's side in the corner next to the courtyard was a terracotta tiled stove, which was moved to the opposite wall closer to the library in the 1950s.[44] What became of the draughting tables, when the studio size was suddenly reduced, is not known. They may have been brought to the guest room on the south front. Bucklans's former studio at the rear of the smaller building was in use as an extra draughting studio after 1910.[45]*

The Hungarian cushions, which Frans Nyberg reclined against, decorated the sofa in the library inglenook. Later, there was probably a long ryijy rug, which was draped from ⁸⁸ *the wall down over the sofa. Saarinen painted an oil canvas*

116

117

118

112 Tupa vuosina 1906–07.
The living room, 1906–07.

113 Tupa 1910-luvun lopulla.
The living room at the end of the 1910s.

114 Ateljee ja biljardihuone 1910-luvun alussa. Biljardia pelaamassa Frans Nyberg ja Eliel Saarinen.
The studio and billiard room at the start of the 1910s. The billiard players are Frans Nyberg and Eliel Saarinen.

115 Kirjasto vuoden 1916 jälkeen.
The library after 1916.

116 Kirjasto vuoden 1916 jälkeen.
The library after 1916.

117 Eliel Saarinen ateljeessa ennen vuotta 1916.
Eliel Saarinen in the studio, before 1916.

118 Ateljee vuoden 1916 jälkeen.
The studio after 1916.

juneensa, koristivat kirjaston takkanurkkauksen sohvaa. Myöhemmin siinä lienee ollut pitkä ryijy, joka laskeutui
88 seinältä sohvan yli lattialle. Saarinen on maalannut öljy-värityön Lojasta ja lapsista istumassa takan ääressä ryi-jyllä. Maalaus on tunnelmallinen tuokiokuva elämästä Hvitträskissä.

Kirjaston lattialla oli myöhemmin pari vanhaa suoma-laista ryijyä, jotka kuuluivat Saarisen vuosien mittaan
113 karttuneeseen kokoelmaan. Tuvan porrasseinällä riippui useampikin suuri ryijy. Liekkiryijy oli paikallaan jo var-hain, samoin suuret barokkilampetit.[46] Viimeisinä Saari-sen Hvitträskissä viettäminä vuosina oli porrasseinällä ryijyjen alla pari barokkituolia korkeajalkaisen antiikki-lipaston kahden puolen.

119

of Loja and the children, sitting on the ryijy *rug around the hearth. The picture captures a tender moment in life at Hvitträsk.*

Two old Finnish ryijy *rugs later decorated the floor; they were part of a collection which Saarinen had amassed over*
113 *the years. The living room stair featured more than one* ryijy *rug. The flame-decorated* ryijy *and the large baroque sconces were early adjuncts to the room.[46] During Saari-nen's later years at Hvitträsk, two baroque chairs flanked a high-legged antique chest of drawers that stood beneath the* ryijy *rugs hanging on the staircase wall.*

109 *The dining room with its bluish-tinted tiled stove was, and*
119 *still is, one of the most beautiful rooms in Hvitträsk. Orig-*

109
119 Ruokasali oli ja on yhä sinisenä hohtavine kaakeliuunei-neen Hvitträskin kauneimpia huoneita. Alun perin sinne ei päässyt auringonvaloa eikä sieltä voinut katsella maisemaa, sillä ikkunoissa oli värilliset lasit ja huoneessa sen vuoksi mystinen ja luolamainen tunnelma. Sille väittämälle, että Axel Gallén olisi maalannut ruokasalin katon ja takkakuvun koristeet, ei ole löytynyt todisteita. Luultavimmin ne teki Väinö Blomstedt, joka asui alkuaikoina Hvitträskin lähistöllä[47] ja teki samanlaisia koristelutöitä Hvittorpissa. Ruokasalin koristelu ei ulottunut lattiaan saakka, kuten nyt, vaan päättyi rinnan korkeudella olleeseen listaan.

120 Ikkunanurkkauksen sohvaa peitti aluksi rikkaasti kuvioi-tu lattialle ulottuva ryijy. Se on kadonnut ajat sitten. Sen

inally, the room was shaded from sunlight and the view obscured by panes of stained glass, imparting to it an enigmatic, cave-like appearance. There is no certainty that Axel Gallén executed the ceiling murals, or those above the hearth. They were in all probability by Väinö Blomstedt, a neighbour in the early years,[47] who did similar work in the Hvittorp villa. The dining room mural decoration did not come down to the floor as now, but stopped at dado level.

120 The sofa under the corner window was draped in a richly decorated ryijy down to floor level. It has long since vanished and been replaced by the great Hvitträsk ryijy rug designed by Saarinen in 1914. The seat back consisted of a row of soft velvet-covered cushions. There were two designs for the light fitting in the centre of the dining room. The

120

121

122

119 Ruokasali.
The dining room.

120 Ruokasali ennen vuotta 1907.
The dining room before 1907.

121 Ruokasali ennen vuotta 1907.
The dining room before 1907.

122 Ruokasali vuoden 1918 jälkeen.
The dining room after 1918.

tilalle tuli vuonna 1914 Saarisen suunnittelema suuri Hvitträsk-ryijy. Selkänojana toimi rivi pehmeitä samettipäällysteisiä tyynyjä. Ruokasalin riippuvalaisimesta on ollut kaksi eri versiota. Lampetit muistuttavat melkoisesti Hvittorpissa aikanaan olleita lampetteja.

121 Ruokasalin alkuperäinen kalusto oli käytössä melko pit-
122 kään. Vuonna 1918 se korvattiin nykyisellä komealla kalustolla, joka tuo mieleen Villa Keirknerin samanaikaiset sisustukset ns. Marmoripalatsissa Helsingin Kaivopuistossa.

Keittiö oli tilava (se muistutti Haus Remerin keittiötä). Sisäänkäynnin puoleisessa nurkassa oli suuri puuliesi. Tarjoiluhuoneen kautta pääsi ruokasalista kirjastoon tarvitsematta mennä keittiöön. Kellarin käytöstä ei ole varmoja tietoja. Lojan kangaspuut olivat luultavasti siellä, vaikka tila olikin melko pimeä. Batiikkityöt ja värihuuhtelut Loja teki kuitenkin ateljeehen liittyvällä pienellä parvekkeella, jonka vieressä oli myös pienen pieni työhuone.[48]

Taloudenhoitaja Lydia Tikkamäellä, joka asui Hvitträskissä vanhoille päivilleen, oli pieni huone ateljeen ja tarjoiluhuoneen välissä. Se oli ahdas tila, jonka isosta ikkunasta oli helppo tarkkailla talon sisäänkäyntejä ja tulijoita. Vuonna 1971 valmistuneissa muutoksissa keittiö supistettiin pieneksi keittokomeroksi ja muu osa huoneesta tehtiin museovieraiden eteishalliksi.

YSTÄVÄT JA SEURAELÄMÄ

123-
129 Tärkeä sija Hvitträskin elämässä oli musiikilla. Eliel Saa-
125 rinen soitti pianoa, ja sekä Loja että hän olivat musikaalisia ja aktiivisesti kiinnostuneita musiikista. Jean Sibelius merkitsi paljon Saariselle, ja heidän yhteydenpitonsa kehittyi henkilökohtaiseksi ystävyydeksi. Hvitträskissä vie-
126 raili usein myös Robert Kajanus. Hvitträskin asukkaiden tuttavapiiri oli luonnollisesti osittain sama kuin läheisessä Hvittorpissa asuneen musiikkikauppias Westerlundin. Hvittorpin vieraskirjasta löytyy Gesselliuksen nimi paljon useammin kuin Saarisen. Ilmeisesti musiikki oli tärkeä asia myös Gesselliuksille.

Hvitträskin ja Hvittorpin sekä Karjalaan rakennetun Suur-Merijoen kartanon (1901–03) sisätilat ilmentävät virtaavaa musiikillisuutta, jota on tietysti vaikea määritellä, mutta joka Hvitträskin kohdalla käy ilmi, jos tarjoutuu tilaisuus kuunnella siellä musiikkia. Sodassa vaurioi-

123
124

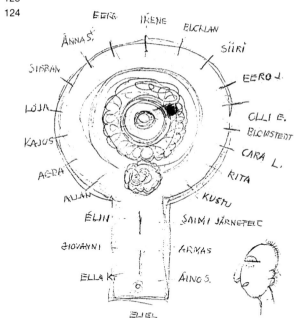

123 Hvitträskin tupaan katettu juhlaillallinen.
The Hvittträsk living room, with the table set for a formal dinner.

124 Hvitträskin kutsujen pöytäjärjestys.
The seating arrangements for dining at Hvittträsk.

125 Jean Sibelius.
Jean Sibelius.

126 Robert Kajanus. Albert Edelfeltin öljyvärimaalaus.
Robert Kajanus. Oil painting by Albert Edelfelt.

sconces are reminiscent of those in Hvittorp.

121
122
The original dining room furniture was in use for quite a long period. The suite that replaced it dates from 1918, and reflects the interior of Villa Keirkner which was contemporary with it. Villa Keirkner, known also as the Marble Palace, is situated in the Kaivopuisto district of Helsinki.

The kitchen was of a generous size, reminiscent of the one ·in Haus Remer. It was equipped with a large wood-burning stove in the corner next to the door. There was access to the library from the dining room by way of the servery, without any need to pass through the kitchen. The basement's function is not clear. It may have contained Loja's weaving loom, although the lighting was hardly sufficient. Loja had the small balcony near the studio for her batiks and dyeing work; there was a tiny work room next to it.[48]

Lydia Tikkamäki, who spent most of her life as the Hvitträsk domestic help, occupied the small room between the servery and the studio. It was cramped but the large window allowed her to see the entrances and inspect those arriving. The kitchen became a kitchenette in the course of alterations finished in 1971, and the area saved became an entrance hall for visitors to the museum.

FRIENDS AND SOCIAL LIFE

123-
129

Music was an important part of life at Hvitträsk. Eliel Saarinen played the piano and both he and Loja were musical and took an active interest in music. Saarinen was greatly
125 taken by Jean Sibelius and their contact ripened into
126 friendship. Robert Kajanus was also a frequent visitor. The circle of acquaintances in Hvitträsk naturally resembled nearby Hvittorp, the home of the music dealer Westerlund. The visitors' book at Hvittorp indicates that Gesellius came there more often than Saarinen. Apparently, the Gesselliuses were fond of music as well.

Hvitträsk, Hvittorp and the Suur-Merijoki manor house in Karelia (1901–03) all shared interiors that lent themselves to music, but in a way difficult to define. The case of Hvitträsk is proved if one ever has the good fortune to listen to music there. That of the Suur-Merijoki manor house, destroyed in the war, cannot be ascertained, but the

tuneen Suur-Merijoen osalta asiaa ei voi todeta, mutta siihen viittaavia aikalaisten lausuntoja on säilynyt.[49]

Hvitträskissä vietetyistä unohtumattomista päivistä on monta kaskua ja kertomusta. Kiinnostavimpiin kuuluu
127 Gustav Mahlerin Alma Mahlerille kirjoittama kirje, jossa säveltäjä kuvailee Axel Gallénin kanssa tehtyä Hvitträskiin päättynyttä moottoriveneretkeä.

"Päivä Galénin kanssa oli varsin viehättävä. Hän ja hyvin kuuluisa arkkitehti, jonka nimeä en muista, hoivasivat minua kuin pikkulasta. He käärivät minut huopiin ja syöttivät suomalaisia voileipiä kunnes olin tulla kipeäksi. Palelin kuin vinttikoira (niin hekin). Matkattuamme kolme tuntia saariston lomitse mitä vaihtelevimmissa maisemissa tulimme rantaan. Hevoset ja rattaat olivat odottamassa, ja meidät kiidätettiin upeaan taloon — täysin à la Hoffmann — oikeastaan linnaan, jossa saimme hyvin vieraanvaraisen vastaanoton.

Arkkitehti ja hänen kollegansa (toisen nimen painoin mieleeni, se oli Gesellius) asuvat siellä kesät talvet. Talo on järven rannalla, ja korkealta paikalta näkyy hyvin järvelle. Huoneet ovat ihastuttavia, täysin à la Hohe Warte suomeksi käännettynä. Arkkitehdeilla, jotka olivat hyvin sympaattisia nuoria miehiä, on kummallakin yhtä nuori vaimo, ja he elävät iloisesti yhdessä (he ovat nuoruudenystäviä). Noin vuosi sitten heidän mieleensä juolahti, että elämä ilman vaihtelua on 'pelkkää olemassaoloa'. Mitä tehdä? No he vaihtoivat vaimoa ja ovat nyt eläneet vuoden verran yhdessä yhtä iloisesti kuin ennenkin, rakentavat taloja muille ja asuttavat omaansa. Eikö olekin hauska tarina?

Koska illalla oli hämärää, me istuimme takan ääreen missä mahtavat puupöllit räiskyivät ja hehkuivat kuin pajassa. Galén, joka oli jo koko veneretken ajan tuijottanut minua merkillisesti (kuin metsästäjä jänistä), pystytti äkkiä maalaustelineen ja alkoi vangita piirteitäni. Aivan kuin Rembrandt, vain takan loimussa. Kun hän oli piirtänyt puolisen tuntia, väsyin paikallani istumiseen. Me nousimme ja menimme kävelylle metsään. Olin iloinen pakoon pääystäni ja varoin muistuttamasta häntä maalauksesta. Tuntia myöhemmin minun oli aika lähteä. Ollessani juuri hyvästelemässä talon isäntä toi maalaustelineen, jolla oli kaikkien hämmästykseksi minun muotokuvani — aivan valmiina. Kuvana suurenmoinen ja lisäksi erittäin näköinen. Tulette hämmästymään! Mahtava mies! Mahtava oli muuten näkynkin, kun hän ohjasi

testimony of contemporaries bears out the above.[49]

The unforgettable days spent in Hvitträsk are a source of anecdotes, one of which, the letter written to Alma Mahler
127 *(Gustav Mahler's wife) must rate highly; it is a description by the composer of a trip by motor boat as far as Hvitträsk in the company of Axel Gallén.*

"The day with Galén was very pleasant. He and a very famous architect, whose name has escaped me, busied themselves about me like two ants. They wrapped me in rugs and fed me on Finnish sandwiches until I was quite ill. I shivered like a greyhound (but so did they). After a three hour's run through the Skerries with ever-changing views, we arrived at the end of our voyage, where we were met by carriages and horses and driven very merrily to a charming house – quite à la Hoffmann – more of a castle really, and most hospitably welcomed.

The architect lives there with a friend (his name has not escaped me; it is Gesellius) winter and summer. It is on a lake and looks over the sea from the upper windows. The rooms are charming, à la Hohe Warte translated into Finnish. They are both architects, equally delightful and equally young, and they both married wives as young as themselves and lived a very happy life together (they were friends as boys); but about a year ago, when they had been married for a year, they came to the conclusion that life without variety was 'mere existence.' What was to be done? Well – they exchanged wives and have been living for the last year as merrily as ever, building new houses and populating their own. There's a pretty story for you. – When it got dusk, we sat in the twilight in front of the open fire, where huge logs blazed and glowed as though in a smithy. Galén who had kept his eyes fixed on me throughout the trip in the most singular way (as if he'd spotted a hare), suddenly set up an easel and began on my portrait. Lit up only by the fire, quite à la Rembrandt. After he had been painting away for half an hour I got restless, and we went for a walk in the wood. I was thankful to have made my escape and took care not to remind him of the portrait. An hour passed: I had to go, and was just bidding them all farewell when my host brought the easel along and there, to the wonder of all, was my portrait – completely finished. Very fine as a painting and also very like. You would be astonished! What a fellow he is. To look at too – you should see him at the wheel – usually very upright, his eyes like burning coals, fixed on the distance – taut and erect –

venettä — kookkaana, hiilinä hehkuvat silmät kauas katsoen — tuimana ja ryhdikkäänä; kuin viikinki. Naiset ovat varmaan hulluina häneen! Oli todella ilahduttavaa tavata nämä miellyttävät ihmiset, jotka olivat sydämellisiä mutta eivät lainkaan tungettelevia. Asetuin jopa sanaakaan sanomatta nukkumaan sivuhuoneen sohvalle, mutta kukaan ei häirinnyt."[50]

Konkreettinen muisto tästä vierailusta on Gallénin maalaama Mahlerin muotokuva.

Tutkija Albert Christ-Janer mainitsee Saaristen ystävänä ja vieraana myös saksalaisen taidehistorioitsijan Julius
130 Meier-Graefen samoin kuin unkarilaisen kuvanveistäjän
128 Géza Marotin, jonka vierailut Hvittäskissä saattoivat kestää useita kuukausiakin. Meier-Graefe oli myös Geselliusten hyvä ystävä ja vietti paljon aikaa heidän seurassaan.[51] Italialainen taidekriitikko Ugo Ojetti kuului myös Hvittäskissä kävijöihin.

Lisäksi oli tietenkin koko joukko kotimaisia ystäviä; arkkitehteja kuten Gustaf Strengell ja Bertel Jung, liikemiehiä kuten Julius Tallberg ja Allan Hjelt, joka asui Geselliuksen kuoltua pohjoissiivessä ainakin kesäisin, tai-

like a Viking. I should think women must be tremendously taken with him! They were all of them so kind to me, too, I was quite touched; and yet in spite of their warm welcome they were never for one moment officious. I even lay down in the next room for a nap on the sofa, without a word said, and there was not a sound to disturb me."[50]

Gallén's portrait of Mahler is a tangible souvenir of this visit.

Albert Christ-Janer, in his book on Saarinen, recounts that
130 *the Saarinens were hosts to Julius Meier-Graefe, the Ger-*
128 *man art historian, and to Géza Maroti, the Hungarian sculptor, whose visits to the house sometimes stretched for months. Meier-Graefe was also a close friend of the Gesellius' and spent much time in their company.[51] The Italian art critic Ugo Ojetti was a frequent visitor to Hvittäsk too.*

Furthermore, there were streams of Finnish friends: the architects Gustaf Strengell and Bertel Jung, businessmen such as Julius Tallberg and Allan Hjelt (who occupied the north wing after the death of Gesellius, at least during the summer months), artists such as Väinö Blomstedt, Eero Järnefelt and Alpo Sailo. 'Bucklan' Ehrström and his wife

127 Gustav Mahler Hvittäskin tuvassa. Akseli Gallen-Kallelan öljyvärimaalaus vuodelta 1907.
Gustav Mahler in the Hvittäsk living room. Oil painting by Akseli Gallen-Kallela, 1907.

128 Géza Maroti.
Géza Maroti.

129 Maksim Gorki. Akseli Gallen-Kallelan öljyvärimaalaus vuodelta 1906.
Maxim Gorky. Oil painting by Akseli Gallen-Kallela, 1906.

127

128

129

130 Geselliukset ja Julius Meier-Graefe sekä Nadja ja Nimrod.
The Geselliuses with Julius Meier-Graefe, and hounds Nadja and Nimrod.

131 Geselliusten vieraita.
Guests of the Geselliuses.

132 Geselliukset(?).
The Geselliuses(?).

133 Vuoden 1909 pohjoismaiseen arkkitehtikokoukseen osallistujia kestitään Hvitträskin pihalla.
Entertaining participants of the 1909 Nordic Architects' Conference during a visit to Hvitträsk.

134 Pohjoismaisia arkkitehteja Hvitträskissä 1909.
Nordic architects at Hvitträsk, 1909.

135 Tenniksen peluuta Hvitträskissä 1910-luvulla.
Playing tennis at Hvitträsk in the 1910s.

136 Hvitträskin vieraita.
Guests at Hvitträsk.

teilijoita kuten aikaisemmin mainittu Väinö Blomstedt, Eero Järnefelt ja Alpo Sailo. 'Bucklan' Ehrström ja hänen vaimonsa Olga asuivat Hvitträskissä vuoteen 1912, mutta kävivät luonnollisesti myöhemminkin. Hyvin kotiutunut vieras oli Johannes Öhquist vaimoineen. Kuten aiemmin todettiin, he asuivat piharakennuksessa 1930-luvulla.

131- Hvitträskin huomattavimpia vieraita oli Maksim Gorki
136 joka oli poliittisesti levottomina vuosina 1904–05 ystä-
129 vystynyt mm. Gallénin kanssa ja oli muutenkin luonut suhteita suomalaiseen älymystöön ja taiteilijoihin. Gorkin asuessa Gallénien luona Helsingissä talvella 1905 kävi venäläisten santarmien tarkkaavaisuus tukalaksi, ja Gorki lähti paljon puhutulle maaseuturetkelle, jonka päätteeksi hän matkusti Turun kautta Tukholmaan ja sieltä edelleen Eurooppaan. Kirsti Gallen-Kallela kirjoittaa seuraavasti: "He (Gorki ja hänen ystävättärensä Andrejeva) poistuivat takaovesta ja menivät suoraan junalle matkustaakseen Saaristen luo Hvitträskiin. Isä istui toisessa luokassa Andrejevan kanssa, äiti ja Gorki kolmannessa. Gorkilla oli suomalainen sanomalehti kädessään ja hän oli lukevinaan sitä vaikka ei tietenkään mitään ymmärtänyt. Hvitträskistä pakolaisten piti jatkaa matkaa junalla Turkuun ja sieltä laivalla pois maasta.

Mutta seuraavana päivänä soitettiin Saariselta Mummulle Albergaan että koko seurue oli tulossa sinne muka rekiretkelle. Santarmit olivat näet jo väijymässä Köklaksin asemalla. Koko karavaani tuli siis takaisin ja jäi Albergan kartanoon yöksi."52

Tämä ei ollut Gorkin ja Saarisen ainoa tapaaminen. He kohtasivat mm. kesällä 1905 Kuokkalassa, minne Gorki oli koonnut ryhmän suomalaisia ja venäläisiä kirjailijoita ja taiteilijoita. Tarkoitus oli perustaa yhteinen satiiris-poliittinen pilalehti, mutta hankkeessa ei päästy alkua pitemmälle.53

SAARISTEN VIIMEISET HVITTRÄSKIN VUODET

Kun rakennustoiminta väheni ensimmäisen maailmansodan aikana, Saarinen omisti paljon aikaa kaupunkisuunnitteluun. Hän teki mm. suurenmoisen Suur-Helsinki-suunnitelman, joka valmistui vuonna 1918. Toimiston työntekijöiden määrää jouduttiin vähentämään, ja lopulta Hvitträskissä oli melko hiljaista. Kansalaissodan aikana vuonna 1918 Loja otti haavoittuneita hoitoon Hvitträskiin.54 Saarinen osallistui sotaan, mutta ei ole saatu sel-

Olga stayed at Hvitträsk until 1912 and visited the house again later. Johannes Öhquist and his wife were also regular visitors. As mentioned above, they lived in the smaller building for a time in the 1930s.

131- One of Hvitträsk's most striking guests was Maxim Gorky
136 who became friends with Gallén and others during the polit-
129 ical unrest of 1904–05. He had also formed acquaintances among Finnish intellectuals and artists. While Gorky was staying with the Galléns in Helsinki during the winter of 1905, the vigilance of the Russian gendarmes became unbearable; Gorky retired from the city on his memorable country tour which brought him via Turku to Stockholm, and onwards to Central Europe. Kirsti Gallen-Kallela writes of the incident as follows: "They (Gorky and his companion Andreyeva) left by the back door, making directly for the train to go to the Saarinens at Hvitträsk. My father went by second class with Andreyeva, mother and Gorky by third class. He had a Finnish newspaper and pretended to read it, even if he couldn't understand a word. From Hvitträsk, the fugitives had to continue their journey by train to Turku and thence abroad by ship.

Next day, while still at the Saarinen's, they rang Granny in Alberga to say they would drop in while on a sleighride. The gendarmes were already waiting for them at Köklaks Station in fact, but the whole party returned and spent a night at Alberga Manor."52

This was not the only time that Saarinen and Gorky came across each other. They met the following summer in Kuokkala, where Gorky had gathered together a group of Finnish and Russian writers and artists. They intended to publish a magazine given to political satire, but nothing came of it.53

THE SAARINENS' LAST YEARS AT HVITTRÄSK

When building activity was slack during the Great War, Saarinen gave much of his time to town planning. He completed the Pro Helsingfors Plan in 1918. The number of staff in the office had to be reduced and things became quiet generally in Hvitträsk. During the civil war in 1918, Loja took in wounded soldiers.54 Saarinen engaged in the war, but it remains unclear in what capacity and for how long. After the Declaration of Independence in 1917, he deville millä lailla tai kuinka kauan. Suomen itsenäistyttyä 1917 hän piirsi tasavallan uudet setelirahat. Siinä yhteydessä hän maalasi melko ahkerasti öljyväreillä, usein niitä aiheita, joita käytti seteleissä.

Saarisen äiti kuoli vuonna 1914[55] ja isä muutti Pietarista Hvitträskiin 1918.[56] Vanha pastori Saarinen asui eteläpäädyn vasemmanpuoleisessa huoneessa, joka sai nimen 'isoisän huone'. Hän ryhtyi kirjoittamaan muistelmiaan, mutta kuoli jo 1920 ennen kuin oli päässyt edes Elielin syntymään saakka.[57]

Seuraavana vuonna kuoli myös Saarisen asemakaavatyötä anteliaasti ja innostuneena tukenut Julius Tallberg, jonka mielenkiinto oli varmasti ollut Saariselle yhtä tärkeä kuin rahallinen tuki.

137 Saarinen teki vuonna 1921 myös suurta Kalevalatalosuunnitelmaa. Vuosisadan vaihteen kansallisromanttiset arkkitehtuurifantasiat leimahtivat vielä kerran liekkiin. Suunnitelma oli selvästi ylimitoitettu ja siksi kuolleena syntynyt. Siitä luovuttiin Saarisen ja Gallénin pitkän yöllisen kahden kesken käydyn keskustelun jälkeen.[58]

Seuraavana vuonna, 1922, elämä Hvitträskissä alkoi kulkea kohti loppuaan. Heinäkuun 18. päivänä suuri torni syttyi tuleen ja koko pohjoinen siipi paloi poroksi. Tuli saatiin pysähtymään ateljeen seinään, eikä kukaan louk-

139

signed a series of new banknotes for the republic. About this time, he also painted a lot in oils, mainly using subjects featured on the banknotes.

Saarinen's mother died in 1914[55] and his father moved from Petrograd to Hvitträsk in 1918.[56] The aged pastor lived in the room on the left of the south gable, which was given the name 'grandfather's room' accordingly. He began his memoirs but died in 1920, before he had even reached the date of Eliel's birth.[57]

Julius Tallberg, who had encouraged Saarinen's town planning efforts with generosity and enthusiasm, and whose interest rated as much in Saarinen's eyes as any financial support, died the following year.

137 *Saarinen also completed the colossal Kalevala House project in 1921. With it, the flickering flame of turn-of-the-century national romantic architecture was fanned momentarily to life. The conception was obviously too grandiose, and never came to anything. After a discussion between Saarinen and Gallén, which lasted throughout the night, the project was abandoned.[58]*

Life at Hvitträsk began drawing to a close in the course of 1922. The huge tower caught fire on July 18th, and the entire north wing was reduced to ashes. The fire was brought under control at the partition in the studio and

139

137 Eliel Saarinen: Kalevalatalo-suunnitelma. Lyijykynäpiirustus vuodelta 1921.

Eliel Saarinen: Design for Kalevala House. Pencil drawing, 1921.

138 Eliel Saarinen: Chicago Tribune Tower -suunnitelma. Tussipiirustus vuodelta 1922.

Eliel Saarinen: Design for Chicago Tribune Tower. Ink drawing, 1922.

137

138

kaantunut, mutta pohjoissiiven vuokralaisen Allan Hjeltin kalliisti sisustettu koti tuhoutui.[59]

Frans Nyberg asui näihin aikoihin piharakennuksessa, ja hänen vaimonsa Karin kirjoitti muutamaa päivää palon jälkeen kirjeen, jossa selostaa mitä tapahtui: "... heräsimme puoli yhden aikaan hirveään huutoon ja ryskytykseen keittiön ovella. Tuskin olimme saaneet silmät auki kun jo ymmärsimme kaiken, sillä koko piha oli liekehtivä tulimeri, joka kohisi hurjasti raivoten. Säntäsin ulos, ja kun olin keittiön portaalla, Hjeltin perhe ryntäsi sinne yöpuvuissaan viime hetkellä pelastuneina. Viiden minuutin kuluttua kaikki olisivat jääneet tulen uhreiksi ... S. yritti pelastaa jotain suuresta musiikkihallista, mutta ehti siepata vain ryijyn seinältä kun hirvittävä tulenlieska tuli alas portaita. Koko ajan kuului ritinää ja rätinää ja jylinää, satoi kaatamalla, ja puolipukeiset ihmiset säntäilivät edestakaisin. Kaikki Saarisen tavarat tuotiin meille ja talliin, ja kaikki mikä meillä oli arvokasta vietiin verannalle. Joka hetki pelättiin, että kaikki palaa ... Nyt on riipaisevan hiljaista. Täällä ei enää lentele kauniita valkoisia kyyhkysiä ... Rouva Saarinen itki katkerasti ajatellessaan rakkaita valkeita kyyhkysiään ... "[60]

Rauniot katettiin väliaikaisella katolla. Saariset suunnittelivat pitkään palaneen osan jälleenrakentamista; sen piirustukset olivat silloin vielä tallella. Liian korkeiden kustannusten takia ajatuksesta kuitenkin luovuttiin, ja lopulta Eero sai tehtäväkseen piirtää pienemmän rakennussiiven ja valvoa sen rakentamista, mutta tämä tapahtui vasta paljon myöhemmin, 1929–33.[61]

138 Syksy 1922 merkitsi suuria muutoksia Saarisen elämässä. Joulukuussa hän sai tiedon, että oli saanut toisen palkinnon Chicago Tribunen uuden toimitalon suunnittelukilpailussa, ja niin avautui ovi uuteen elämään Yhdysvalloissa. Vuonna 1923 koko perhe matkusti sinne. Eliel Saarinen oli silloin viisikymmenvuotias.

Sen jälkeen Hvitträskissä vallitsi hiljaisuus.

●

Vaivalloisesta Atlantin ylityksestä huolimatta Saariset kävivät lähes joka kesä Suomen kodissaan. Talo ei talvellakaan ollut kokonaan autio, vaan jonkun sukulaisen, tuttavan tai palvelusväkeen kuuluneen henkilön hoidossa ja silmälläpidon alaisena.

nobody was injured, but the valuable furnishings of Allan Hjelt's rented quarters in the north wing were destroyed.[59]

Frans Nyberg lived at the time in the smaller building and his wife Karin recorded the events in a letter written a few days later: "... we were awakened at half past one in the night by a dreadful shouting and banging on the kitchen door. We had hardly woken up when we realised what was amiss; the entire courtyard was a sea of flames leaping skyward. I sped down and as I got to the kitchen stairs, the Hjelt family ran down in their nightwear, having been saved in the nick of time. Five minutes later, all of them would have been consumed in the flames ... S. tried to save something from the large music room, but could only snatch the ryijy rug off the wall as he was driven back by molten ashes discharged down the staircase. All we could hear the whole time was a continuous rumbling and crashing and the roar of flames in the pouring rain. Half-clad people ran to and fro. All the Saarinens had left of their possessions was brought into our house and the garage, and anything we had of value was moved to the verandah. We were all the time afraid that the lot would go up in smoke. There is a heart-rending quiet. The beautiful white doves circle no longer overhead ... Mrs Saarinen wept bitterly, when she thought of her dear white doves ... "[60]

The ruins were covered with a temporary roof. The Saarinens intended for a long time to rebuild the burnt section; the drawings still existed, but the idea had to be abandoned due to the expense. Eventually, Eero was given the task of drawing a smaller wing and supervising its erection. This occurred much later, in 1929–33.[61]

138 Autumn 1922 brought about great changes in Saarinen's life. In December, he learned he had won second prize in the competition for the new headquarters of the Chicago Tribune. The door opened on a new life in the United States. The whole family went there in 1923. Eliel Saarinen had then reached the age of fifty.

Following this, silence fell on Hvitträsk.

●

Despite a difficult transatlantic crossing, the Saarinens came back to their Finnish home every summer, almost without fail. Nor was the house deserted in winter, as some relative, good acquaintance or one of the domestic staff took care of it.

Saaristen Yhdysvaltain aikana, 1923–49, rakennusta kunnostettiin ja siinä tehtiin muutoksia, joista tietysti merkittävin oli uuden pohjoisiiven rakentaminen vuosina 1929–33. Säilyneestä kirjeenvaihdosta päätellen talvisaikaan toimeenpantuja hankkeita johti Loja Saarinen — hän näyttää olleen työn laadun suhteen vaativa.

1940-luvun lopulla Saariset katsoivat olevansa pakotettuja myymään Hvitträskin taloudellisista syistä. Kauppa saatiin aikaan vuonna 1949, ja uusiksi omistajiksi tulivat varatuomari Rainer Vuorio ja rouva Anelma Vuorio. Hvitträsk oli alkanut rappeutua, ja Vuoriot joutuivat kunnostamaan rakennuksen perusteellisesti. Talo ei luonnollisesti enää ollut toimiva vakinaisena asuntona; modernin elämäntyylin ja vilkkaan seuraelämän vaatimat muutokset olivat tarpeen.

Vuoriot luopuivat talosta vuonna 1968, jolloin se siirtyi Kansallis-Osake-Pankin omistukseen. Seuraavana vuonna omistajaksi tuli Gerda ja Salomo Wuorion säätiö, jonka toimesta Hvitträsk saneerattiin vuosina 1969–71: päärakennuksesta tehtiin museo ja piharakennukseen sijoitettiin ravintola ja kahvila. Vuonna 1981 Suomen valtio osti Hvitträskin, ja kiinteistön hoitamista ja toimintaa varten muodostettiin Hvitträsk-säätiö.

While the Saarinens lived in the United States from 1923 to 1949, the building underwent repairs and alterations, the chief of which was, of course, the building of the new north wing in 1929–33. To judge from the surviving correspondence, Loja Saarinen directed what was to be undertaken in winter – and by all accounts she was a demanding client.

At the close of the 1940s, the Saarinens felt forced to sell Hvitträsk for financial reasons. The contract of sale was completed in 1949, and Anelma and Rainer Vuorio, LLM, became the new owners. Hvitträsk had begun to fall into disrepair and the Vuorios were obliged to undertake the complete renovation of the building. The house was no longer suitable for living in all the year round. Changes in keeping with a contemporary lifestyle and social intercourse were needed.

When the Vuorios relinquished the house in 1968, it became the property of the Kansallis-Osake-Pankki Bank. In the following year, a new owner took charge: the Gerda and Salomo Wuorio Foundation, under whose direction restoration work took place in 1969–71. The main building became a museum and the smaller building was divided into a restaurant and a coffee room. In 1981, the ownership of Hvitträsk was invested in the Finnish state, and the Hvitträsk Foundation became responsible for its management.

139 Hvitträsk jälkisammutuksen aikana.

Hvitträsk in the aftermath of the fire.

1. Kauppakirjan jäljennös, ks. Vuorio, Anelma, 1971. Kaksikymmentä vuotta Hvitträskin tähden. Helsinki, s. 33–36.
2. Ks. Tytti Valto, tämä julkaisu, "Perustiedot Hvitträskin rakennuksista ja asukkaista", viite 1.
3. Suullinen perimätieto Reenpään ja Westerlundin suvuissa. Reenpäät (Renqvistit) olivat sittemmin Hvitträskin naapureita, kun taas Robert Westerlund rakennutti Hvittorpin.
4. Eliel Saarisen kirje vanhemmilleen 6.8.1902. Kokoelma Sirkka Järnefelt, Mäntyharju.
5. Sama.
6. Ks. Valto, viite 24.
7. Pääpiirustuksissa torni esiintyy pyramidikattoisena. Valokuvan, jossa se on tällainen, täytyy siis olla varhaisempi kuin kuvan, jossa katto on tasainen ja varustettu 'rakettimaisella' huipulla.
8. Professori Otto-I. Meurman muistelee käyttäneensä sitä tietä tullessaan ensimmäistä kertaa Hvitträskiin 1914. Keskustelu kirjoittajan kanssa 1983.
9. Loja Saarisen kirje Emil Wikströmille 19.2.1916. E. Wikströmin museon arkisto, Sääksmäki. Ei kuitenkaan tiedetä miten Wikström suhtautui asiaan.
10. Kuvauksessa käytetty hyväksi Tytti Valton 1982 tekemiä pohjoissiiven pohjarekonstruktioita.
11. On epävarmaa milloin tämä porras tehtiin, mutta se oli olemassa Otto-I. Meurmanin oleskellessa Hvitträskissä 1914–15. Myös dipl.ins. Carl Gustaf von Pfaler, jonka äiti oli Loja Saarisen sisar, arvelee portaan olevan 1910-luvulta. Keskustelu kirjoittajan kanssa 1984.
12. Hvitträskin kirjastossa Saarisen kokoelmiin kuuluu pääasiallisesti arkkitehtuurijulkaisuja, joista mainittakoon The Builder, Academy Architecture and Architectural Review, Berliner Architekturwelt, The Studio ja Dekorative Kunst. Erityisesti Academy Architecture sisälsi esimerkkejä amerikkalaisesta 'shingle stylesta', niistä uusimmat ovat peräisin American Architectista.
13. Ks. Valto, viite 26.
14. Ks. Valto, viite 30.
15. Christ-Janer, Albert, 1948. Eliel Saarinen. Chicago, s. 15.
16. Jung, Bertel, 1904. "Arkitektklubbens utflykt till Suur-Merijoki". Arkitekten III/1904, s. 27.
17. Christ-Janer 1948, s. 18, 34.
18. Armas Lindgrenin kirje rva Bertha Helanderille jouluna 1904. Suomen rakennustaiteen museo (SRM).
19. Sama.
20. Jung, Bertel. 1929. "Armas Lindgren, byggnadskonstnären". Arkitekten 10/1929, s. 155–160.
21. Ks. Valto, viite 32.
22. Armas Lindgrenin kirje Bertha Helanderille jouluna 1904. SRM.
23. Kirjoittajan Eva Gyldéniltä 1962 sekä Per-Olof Gyldéniltä 1982 saama tieto.
24. Pohjoissiiven makuuhuoneiden dokumenttiaineisto on vähäistä. Lindgrenin tyttäret, Marianna Rahola (k. 1985) ja Margareta Salmenlinna muistavat kuitenkin, vaikkakaan eivät yksityiskohtaisesti, sisäänkäynnin yläpuolella sijainneen vanhan lastenkamarinsa. Keskustelut 1982. Kylpyhuone tuskin vaihtoi myöhemminkään paikkaa, eikä olemassa olevista kuvista niin ollen oikeastaan voida esittää vaihtoehtoisia tulkintoja.
25. Ks. Valto, viite 34.
26. Per-Olof Gyldéniltä 1982 saatu tieto.
27. Jung 1929, s. 155–160.
28. Loja Saarisen ja Johannes Öhquistin kirjeenvaihto 1926–38. Johannes Öhquistin kokoelma, Helsingin yliopiston kirjasto.
29. Tiedot saatu C.G. von Pfalerilta kesäkuussa 1984 sekä Mona Leolta (k. 1986) tammikuussa 1983. Lojan ja Pipsanin tekstiilitöitä käsittelee myös Mayer Thurman, Christa C., 1983. "Textiles". Design in America. The Cranbrook Vision

30. Nyberg, Frans, 1950. Minnen från Hvitträsk. Käsikirjoitus, s. 3–4. SRM.
31. Sama, s. 11, 15.
32. Sama, s. 5–6.
33. Kuva Moderne Bauformen -lehden numerossa 8/1909, s. 353.
34. C.G. von Pfalerin kirjoittajalle kesäkuussa 1984 antama tieto.
35. Sama.
36. Valokuva neg. 89477 Museovirasto/Historian kuva-arkisto.
37. Otto-I. Meurmanin ja C.G. von Pfalerin kirjoittajalle antamia tietoja.
38. Tekstiilitaiteilija Irma Kukkasjärveltä 1983 saatu tieto.
39. Kirjoittajan Mona Leolta tammikuussa 1983 saama tieto.
40. Kun kangastapetti piti vaihtaa 1971, lähetettiin pala vanhaa tapettia Sandersonin tehtaalle Englantiin ja pyydettiin sieltä mahdollisimman samanlaista. Vastauksessa tiedusteltiin kohteliaasti, miksi tapetin piti olla mahdollisimman samanlaista, kun täsmälleen sama tapetti yhä oli tuotannossa. Anita Ehrnroothin, Hvitträskin pääoppaan, kirjoittajalle antama tieto.
41. Amberg, Anna-Lisa, 1984. Saarisen sisustustaide/Saarinen's interior design. Helsinki, s. 13–16.
42. Die Kunst/Dekorative Kunst, Febr./1907, s. 187 ja Moderne Bauformen 4/1907, s. 161.
43. Kirjoituspöytä oli voittona Suomen Taideteollisuusyhdistyksen arpajaisissa 1907. Konstflitsföreningen i Finland. Redogörelse för år 1906. Helsingfors, 1908, s. 34 ja kuvaliite.
44. Kirjoittajan Anelma Vuoriolta 1961 saama tieto. Rouva Vuorio antoi purkaa uunin, koska se oli osittain palanut, ja pystytti sen Lojan pienen työhuoneen oven eteen. Uuni poistettiin kokonaan vuoden 1971 restauroinnissa.
45. Otto-I. Meurman kirjoittajalle 1982.
46. Valokuva SRM.
47. Väinö Blomstedt ja hänen appensa Thiodolf Saelan rakennuttivat huvilat, jotka sijaitsevat Hvitträskiin nykyisin johtavan metsätien oikealla puolella.
48. Kirjoittajan Mona Leolta ja C.G. von Pfalerilta saamia tietoja.
49. Ahrenberg, Jac., 1904. "Suur-Merijoki nya karaktärsbyggnad". Teknikern 355/1904, s. 114.
50. Mahler-Werfel, Alma, 1972. Erinnerungen an Gustav Mahler. Gustav Mahler, Briefe an Alma Mahler. Frankfurt/Berlin/Wien, s. 341–342.
51. Valokuva, jossa Geselliukset esiintyvät Meier-Graefen seurassa. Kokoelma Per-Olof Gyldén, Kirkkonummi.
52. Gallen-Kallela, Kirsti, 1965. Isäni Akseli Gallen-Kallela, II osa. Porvoo, s. 259.
53. "En rysk 'simplicissimus'". Helsingfors-Posten 2.12.1905.
54. Kenraalimajuri Gustaf Ehrnroothin (k. 1983) kirjoittajalle tammikuussa 1981 antama tieto.
55. Äiti kuoli 5.8.1914 Mäntyharjulla, ks. Voipio, P.J., 1963. "Arkkitehti Eliel Saarisen sukujuuret". Genos 2/1963, osa 34, s. 47.
56. Inkeri ja Kaarina Saarisen tiedonanto 1982.
57. Isä kuoli 7.12.1920 Kirkkonummella, ks. Voipio 1963, s. 38, 46.
58. Sailo, Nina, 1968. "Kalevalatalon vaiheista". Kalevalaseuran vuosikirja 48. Helsinki, s. 421.
59. "Ytterligare en stor våndeld". Hufvudstadsbladet 19.7.1922.
60. Rva Karin Nybergin kirje äidilleen 20.7.1922. Kokoelma Ragnar Nyberg, Parainen.
61. Ks. Valto, viitteet 84–87.

1925–1950. New York, s. 176, 189–192.

(Asko Salokorpi/Maija Kärkkäinen)

1. Copy of deed of sale, see Vuorio, Anelma, 1971. "Kaksikymmentä vuotta Hvitträskin tähden". Helsinki 1971, pp.33–36.
2. See Tytti Valto, this publication. "Facts about the buildings and occupants of Hvitträsk", Reference 1.
3. Oral tradition of the Reenpää and Westerlund families. The Reenpää (or Renqvist) family were afterwards neighbours of Hvitträsk, while Robert Westerlund had Hvittorp built.
4. Letter of Eliel Saarinen to his parents 6.8.1902. Collection of Sirkka Järnefelt, Mäntyharju.
5. Do.
6. See Valto, Reference 24.
7. The tower is shown in the design drawings with a pyramid roof. The photograph of it shown thus must be earlier than that in which it appears flat, surmounted by a 'rocket-shaped' steeple.
8. Professor Otto-I. Meurman remembers using this route on his first trip to Hvitträsk in 1914. Conversation with the author in 1983.
9. Letter of Loja Saarinen to Emil Wikström, 19.2.1916. Archives of the Emil Wikström Museum, Sääksmäki. It is not known how Wikström reacted to the proposal.
10. Description afforded through a plan reconstruction of the north wing by Tytti Valto in 1982.
11. While the completion date of the stairs is uncertain, it was in use in 1914–15, when Otto-I. Meurman was at Hvitträsk. Carl Gustaf von Pfaler, a graduate engineer, whose mother was Loja Saarinen's sister, reckons it was built after 1910. Conversation with the author in 1984.
12. Saarinen's library at Hvitträsk contains mostly architectural works. Included are The Builder, Academy Architecture and Architectural Review, Berliner Architekturwelt, The Studio and Dekorative Kunst. There were examples of the American shingle style mainly in Academy Architecture, mostly deriving from the American Architect.
13. See Valto, Reference 26.
14. See Valto, Reference 30.
15. Christ-Janer, Albert, 1948. Eliel Saarinen. Chicago, p.15.
16. Jung, Bertel, 1904. "Arkitektklubbens utflykt till Suur-Merijoki". Arkitekten III/1904, p.27.
17. Christ-Janer 1948, pp.18,34.
18. Letter from Armas Lindgren to Mrs Bertha Helander, Christmas 1904. Museum of Finnish Architecture (MFA).
19. Do.
20. Jung, Bertel, 1929. "Armas Lindgren, byggnadskonstnären". Arkitekten 10/1929, pp.155–160.
21. See Valto, Reference 32.
22. Letter from Armas Lindgren to Bertha Helander, Christmas 1904. MFA.
23. Recounted to the author by Eva Gyldén and Per-Olof Gyldén, in 1962 and 1982 respectively.
24. Documentation about the north wing bedrooms is scarce. Lindgren's daughters Marianna Rahola (who died in 1985) and Margareta Salmenlinna have a slight recollection of their nursery, which was situated above the entrance door. Conversations with the author in 1982. The location of the bathroom most probably did not change, nor do existing pictures offer any reason to suppose otherwise.
25. See Valto, Reference 34.
26. Recounted by Per-Olof Gyldén in 1982.
27. Jung, 1929, pp.155–160.
28. Correspondence between Loja Saarinen and Johannes Öhquist 1926–38. J. Öhquist Collection, Helsinki University Library.
29. Recounted by C.G. von Pfaler, June 1984, and Mona Leo (who died in 1986), January 1983. For more on the textile works of Loja and Pipsan, see Mayer Thur-

man, Christa C., 1983. "Textiles". Design in America. The Cranbrook Vision 1925–1950. New York, pp.176, 189–192.
30. Nyberg, Frans, 1950. Minnen från Hvitträsk. Manuscript, pp.3–4. MFA.
31. Do., pp.11, 15.
32. Do., pp.5–6.
33. Picture in Moderne Bauformen, 8/1909, p.353.
34. Recounted to the author by C.G. von Pfaler, June 1984.
35. Do.
36. Photograph neg.89477. The National Board of Antiquities/Archives for Prints and Photographs.
37. Recounted to the author by Otto-I. Meurman and C.G.von Pfaler.
38. Recounted by Irma Kukkasjärvi, a textile designer, in 1983.
39. Recounted to the author by Mona Leo, in January 1983.
40. When the textile covering had to be renewed in 1971, a strip of the existing textile was sent to the Sanderson factory in England, with a request that the replacement should resemble it as closely as possible. A reply was received, asking politely why it couldn't be identical as it was still being produced. Recounted to the author by Anita Ehrnrooth, principal guide at Hvitträsk.
41. Amberg, Anna-Lisa, 1984. Saarisen sisustustaide/Saarinen's interior design. Helsinki, pp.13–16.
42. Die Kunst/Dekorative Kunst, Februar/1907, p.187 and Moderne Bauformen, 4/1907, p.161.
43. The writing desk was a prize in a Finnish Society of Crafts and Design lottery, in 1907. Konstflitsföreningen i Finland. Redogörelse för år 1906. Helsingfors, 1908, p.34 and illustration.
44. Recounted to the author by Anelma Vuorio in 1961. Mrs Vuorio allowed the stove to be dismantled, as it had been damaged by fire, and had it moved against the door of Loja's tiny workroom. The stove was removed in the course of restoration work in 1971.
45. Otto-I. Meurman to the author in 1982.
46. Photograph, MFA.
47. Väinö Blomstedt and Thiodolf Saelan, his father-in-law, built villas to the right side of the forest driveway leading to Hvitträsk today.
48. Recounted to the author by Mona Leo and C.G. von Pfaler.
49. Ahrenberg, Jac., 1904. "Suur-Merijoki nya karaktärsbyggnad". Teknikern 355/1904, p.114.
50. Mahler, Alma, 1973. Gustav Mahler. Memories and Letters. London, pp.218–219.
51. Photograph showing the Gesellius couple with Meier-Graefe. Collection of Per-Olof Gyldén, Kirkkonummi.
52. Gallen-Kallela, Kirsti, 1965. Isäni Akseli Gallen-Kallela. II osa. Porvoo, p.259.
53. "En rysk 'simplicissimus'". Helsingfors-Posten, 2.12.1905.
54. Recounted to the author in January 1982 by Major-Gen. Gustaf Ehrnrooth (who died in 1983).
55. She died 5.8.1914 at Mäntyharju, see Vuopio, P.J., 1963, "Arkkitehti Eliel Saarisen sukujuuret". Genos 2/1963, osa 34, p.47.
56. Recounted by Inkeri and Kaarina Saarinen in 1982.
57. He died 7.12.1920 at Kirkkonummi, see Voipio 1963, pp.38,46.
58. Sailo, Nina, 1968. "Kalevalatalon vaiheista". Kalevalaseuran vuosikirja 48. Helsinki, p.421.
59. "Ytterligare en stor vådeld". Hufvudstadsbladet, 19.7.1922.
60. Letter from Mrs Karin Nyberg to her mother, 20.7.1922. Collection of Ragnar Nyberg, Parainen.
61. See Valto, References 84–87.

(Desmond O'Rourke)

140

140 Eteläsiiven pihapääty.
*The south wing gable facing the
courtyard.*

141 Eteläsiiven pihapäätyä.
*Detail of the south wing gable
facing the courtyard.*

142 Eteläsiipeä rannan puolelta.
*The south wing viewed from the
lakeside.*

143 Eteläsiiven kattoa pihan puolelta.
*The roof of the south wing viewed
from the courtyard.*

144 Eteläsiiven kattoa terassipuutar-
han puolelta.
*The roof of the south wing viewed
from the terraced garden.*

145 Piharakennus pihan puolelta.
*The smaller building viewed from
the courtyard.*

146 Piharakennusta metsän puolelta.
*The smaller building viewed from
the woods.*

147 Herman Geselliuksen ja Eliel
Saarisen hauta Hvitträskin met-
sässä.
*Herman Gesellius' and Eliel
Saarinen's burial place in the
woods at Hvitträsk.*

141

HERMAN GESELLIUS
1874 – 1916

ELIEL SAARINEN
1873 – 1950

148 Pääovi.
The main entrance.

LUETTELO ELIEL SAARISEN ASUNNON SISUSTUKSISTA

CATALOGUE OF THE INTERIORS IN ELIEL SAARINEN'S HOME

Anna-Lisa Amberg

148

Hvitträskin eteläsiiven huoneista vähiten muuttuneita Eliel Saarisen ja hänen perheensä Yhdysvaltoihin siirtymisen jälkeen ovat tupa, ruokasali, makuuhuone, kukkahuone ja nk. ruusukamari sekä osa toimistoa. Käydessään Hvitträskissä kesälomillaan vuosina 1923–49 Saariset itse tekivät muutoksia sisustuksiin: esimerkiksi lastenhuoneet saivat alkuperäisestä poikkeavan asun. Vuorioiden aikana 1949–68 joutui kotiopettajan huone toiseen käyttöön, ja kylpyhuonetta ja keittiötä muutettiin. Palvelusväen ja nk. isoisän huoneiden sisustukset ovat 1970-luvun alun saneerauksen ajalta. Samassa yhteydessä alkuperäinen keittiö hävisi eteistä laajennettaessa.

Niistä yksittäisistä sisustusesineistä, joita Saarisen Suomen ajalla otetuissa valokuvissa näkyy, on arviolta kolme neljäsosaa vielä jäljellä.[1] Saneerauksen yhteydessä jouduttiin hankkimaan runsaasti uusia tekstiilejä ja valaisimia — lähes jokaiseen huoneeseen. Sisätiloissa on lisäksi muutamia tunnistamattomia tai Saarisen ajan Hvitträskille vieraita esineitä.

Among the interiors in the south wing of the main building at Hvitträsk, the tupa (or living room), the dining room, the master bedroom, the flower room, the 'rose' room and part of the studio are least altered in appearance since Eliel Saarinen and his family left for the United States. While on visits to Hvitträsk during summer holidays between 1923–49, the Saarinens altered some of the interiors, for instance the children's rooms were refurnished. During 1949–68, while the Vuorios lived there, the private tutor's room was put to other use, and the bathroom and kitchen were altered. The rooms for domestic staff and the interior of the room used by the children's grandfather date from alterations made early in the 1970s. The entrance hall was enlarged in the course of these alterations at the expense of the original kitchen area.

It is estimated that about three quarters of the interior items discernible from photographs taken in Saarinen's day survive now.[1] During restoration work, many new textiles and light fittings had to be bought for nearly every room. The interiors also contain some unidentified items that do not belong to the Hvitträsk of Saarinen's day.

79

LATTIAT, SEINÄT, OVET, IKKUNAT; KORISTELUTYÖT

148-150 Tuvassa, ruokasalissa[2] ja keittiössä[3] on ollut ruskeaksi maalatut lauta-lattiat,[4] eteisessä pystypuuparketti[5] ja saniteettitiloissa kaakeli.[6] Muissa tiloissa on lattian pintamateriaalina ollut linoleumi.[7]

Seinäpinnoitteista manittakoon kangastapetti,[8] jollaista on ollut ainakin ruokasalissa, ruusukamarissa sekä Eliel ja Loja Saarisen makuuhuoneessa, luultavasti muuallakin.[9] Ovissa on neliöpeilitystä.

151, 152 Ruokasalin koristeluun on kiinnitetty erityistä huomiota. Holveissa ja uunin kuvussa on fresko-ornamentiikkaa, ikkunoissa lyijylasia. Tyylil-153, 154 lisesti nuorempaa kerrostumaa edustavat lastenhuoneen ja eteisen 155, 156 puulle maalatut koristeet.[10] Kuparitaonnaisia esiintyy sekä oviin upo-157, 158 tettuina laattoina että uunien kipinäsuojuksina ja luukkuina.

FLOORS, WALLS, DOORS, WINDOWS; DECORATIVE FINISHES

148-150 *The living room, dining room[2] and kitchen[3] had floors of wooden floor boards painted brown,[4] the hall had an end grain wood block floor[5] and the sanitary areas a tiled floor.[6] Elsewhere, the floor was linoleum.[7]*

The wall finishes included textile wall covering[8] in the dining room, the rose room and Eliel and Loja Saarinen's bedroom, probably in other areas as well.[9] The doors are panelled.

The dining room interior was the object of special attention. It contains a 151, 152 fresco decoration on the vaulted ceiling and the breastsummer of the 153, 154 stove, and leaded lights in the windows. The decorative wood painting in the hall and children's room is more recent in vintage.[10] There are 155, 156 wrought copper mountings on the doors, and on the fireguards and metal 157, 158 doors of the tiled stoves.

149

150
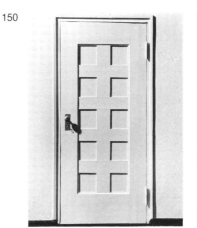

152

151

153

149 Ovi makuuhuoneesta kukkahuoneeseen.

The door from the bedroom to the flower room.

150 Komeron ovi entisessä lasten makuuhuoneessa.

A wardrobe door in the former children's bedroom.

151 Ruokasalin freskokoristelua.

Mural decoration in the dining room.

152 Ruokasalin ikkunan lasimaalauksen keskiosa.

The central panel of the stained glass window in the dining room.

153 Eteisen kattokoristelua.

The ceiling decoration in the entrance hall.

154 Lasten leikkihuoneen pylväitä ja kattoa.

The pillars and ceiling in the children's room.

155 Kirjaston oven koristelaatta, kuparia.

Copper mounting on the library door.

156 Ateljeen oven koristelaatta, kuparia.

Copper mounting on the studio door.

157 Entisen lasten makuuhuoneen uunin luukku, kuparia.

Copper door of the stove in the former children's bedroom.

158 Tuvan uunin kipinäsuojus, kuparia.

Copper fireguard of the living room stove.

154

155

156

157

158

160-164 Hvitträskin kaakeliuunit eivät ole porvoolaisen Iris-tehtaan valmistamia, vaikka näin on yleisesti otaksuttu.[11] Yksilöllisesti muotoiltujen uunien kaakelit on hankittu lähempää, Helsingistä Wilh. Andstenin kaakeliuunitehtaalta,[12] jonka vakiomallistoon toimisto Gesellius, Lindgren, Saarinen oli suunnitellut uuneja vuosista 1900–01 lähtien.[13] Hvitträskin uunit poikkeavat malliluettelon uuneista kaakelien koon, muodon ja koristelun puolesta. Saarisen asunnossa on kuitenkin ollut Andstenin vakiomalliston uuneista numero 10.[14]

159 Kaakeliuunien lisäksi Hvitträskiin muurattiin tiiliuuneja ja -takkoja.[15]

Hvitträskin toimistoa on lämmitetty parin uunin lisäksi rautakamiinalla.[16] Ateljeessa oli myös patteri, joka lienee asennettu 1920-luvun alussa.[17]

160-164 Contrary to general belief, the tiled stoves in Hvitträsk were not produced by the Iris factory in Porvoo.[11] The tiles for these purpose-made stoves were made by the Wilh. Andsten stove tile factory in Helsinki,[12] for whom the Gesellius, Lindgren and Saarinen office had designed stoves as early as 1900–01.[13] The Hvitträsk stoves are to be distinguished from those in the catalogue by the size, shape and decoration of the tiles. In Saarinen's home there was a Model 10 stove from the standard series by Andsten.[14]

159 Apart from tiled stoves, Hvitträsk had stoves and fireplaces built of brick.[15]

An iron boiler in the studio supplemented heat from the stoves.[16] There was also a radiator in the studio dating from the start of the 1920s.[17]

159

160

161

159 Tuvan uuni.
The living room stove.

160 Ruokasalin uuni.
The dining room stove.

161 Vanhempien makuuhuoneen uunin luukku, kuparia.
Copper door of the stove in the master bedroom.

162 Vanhempien makuuhuoneen uuni.
Stove in the master bedroom.

163 Nk. isoisän huoneen uuni.
Stove in grandfather's bedroom.

164 Tuvan uunin luukku
Doors of the living room stove.

KIINTEÄT HUONEKALUT

Rakennusta viimeisteltäessä talon rakennustöihin osallistuneet paikalliset puusepät ja kirvesmiehet nikkaroivat kiinteät kalusteet: tuvan, ruokasalin ja toimiston uunien lähettyvillä sijaitsevat sohvat, vierashuoneiden alkovit sekä kaappeja, hyllyjä jne.

KALUSTOT

Saarisen asunnossa tehtiin useita remontteja, joissa kunnostettiin ilmeisesti monta huonetta samanaikaisesti.[18] Muutama huone sisustettiin 1910-luvulla jo toiseen kertaan. Sisustaminen näyttää kuitenkin jääneen kesken: isoisän, kotiopettajan, apulaisen sekä taloudenhoitajan tai keittäjän huoneet eivät luultavasti koskaan saaneet Saarisen suunnittelemia huonekaluja.

166-168 Saarinen piirsi Hvitträskiin kymmenkunta erilaista kalustoa. Niiden 170-174 rinnalla hänen asunnossaan oli korkeatasoisia standardituotteita kuten 165, 169 Riika-tuoleja[19] ja korituoleja.

BUILT-IN FURNITURE

The local carpenters and joiners engaged in the final stages of construction worked on the built-in furniture: the inglenooks at the stoves in the living room, dining room and studio, the built-in beds in guest rooms and cabinets, shelving, etc.

FURNITURE SUITES

There were several improvements made in Saarinen's dwelling in the course of which a number of rooms underwent changes at the same time.[18] Several of the rooms were refurnished as early as the 1910s. Despite this, many rooms did not reach completion: those used by the children's grandfather, private tutor, maid, housekeeper and cook probably never had the furniture Saarinen designed.

166-168
170-174 *He drew nine or ten furniture suites for Hvitträsk. There were standard*
165, 169 *products of quality too, such as Riika chairs and cane chairs.[19]*

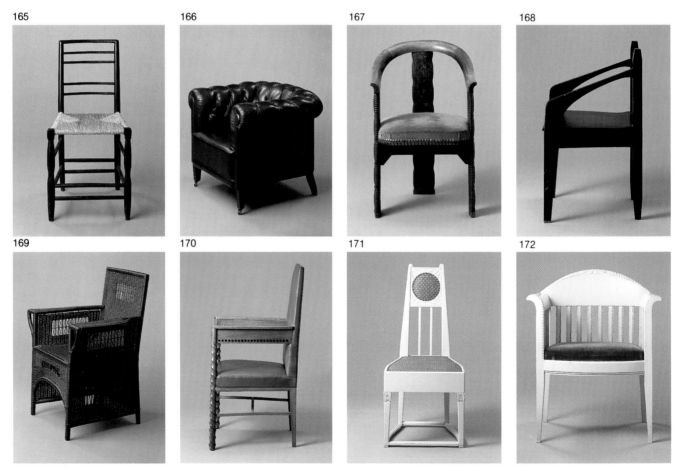

165 166 167 168

169 170 171 172

N. Bomanin höyrypuusepäntehdas Turussa mainitaan usein Saarisen Hvitträskin huonekalujen valmistajana.[20] Tämä pitänee paikkansa osittain.[21] Ainakin jo vuosina 1903–04 Saarinen käytti Bomanin tehdasta.[22] Vuosisadan vaihteessa hän kuitenkin toimi aktiivisesti Suomen Yleisen Käsiteollisuusyhdistyksen piirissä ja valmistutti huonekalujaan mm. sen puuseppäin ammattikoulussa.[23] Ainakin yksi Hvitträskin kalusto on tehty siellä, vanhimmista luultavasti joku muukin. Siirtyminen Bomanin asiakkaaksi tapahtui ehkä samaan aikaan kun huonekalujen veistetty reliefikoristelu vaihtui intarsiakoristeluksi.

The Boman factory in Turku, which made joinery using the steam process, is often mentioned as Saarinen's manufacturer of furniture for Hvitträsk.[20] There is some truth in this.[21] Saarinen used Boman's factory as early as 1903–04.[22] At the turn of the century, he was actively associated with The Finnish General Handicraft Society, and had furniture made in its vocational school.[23] At least one of the Hvitträsk suites was made there. He perhaps became a customer of the Boman factory at the same time as bas-relief on the furniture was superseded by intarsia ornamentation.

165 Ateljeen nk. Riika-tuoli.
The 'Riika' chair in the studio.

166 Ateljeen nojatuoli, päällinen uusittu.
Studio armchair, re-upholstered.

167 Ruokasalin tuoli vuodelta 1918, päällinen uusittu.
Dining room chair, 1918, re-upholstered.

168 Ruokasalin tuoli.
Dining room chair.

169 Kukkahuoneen korituoli.
The cane chair in the flower room.

170 Tuvan tuoli vuosilta 1905–06.
Living room chair, 1905–06.

171 Vanhempien makuuhuoneen tuoli vuosilta 1902–03.
Master bedroom chair, 1902–03.

172 Kukkahuoneen tuoli 1910-luvulta.
Flower room chair, 1910s.

173 Yksityiskohta ruokasalin tuolista vuodelta 1918.
Detail of dining room chair, 1918.

174 Yksityiskohta tuvan tuolista.
Detail of living room chair.

173

174

TEKSTIILIT

Eliel Saarisen suunnittelemia ja Suomen Käsityön Ystävien kutomia seinältä penkin yli lattialle ulottuvia koristeryijyjä on Hvitträskissä alun perin ollut useampia; vain yksi on vielä paikallaan.[24] Kuvaryijyjen lisäksi Saarinen tilasi Suomen Käsityön Ystävistä yksivärisiä nukkamattoja,[25] lähinnä makuuhuoneisiin.[26]

175, 176

Tietämän mukaan Hvitträskissä on ollut omat kangaspuut,[27] joilla on valmistettu pientekstiilejä[28] — verhoja, pöytäliinoja ja riepumattoja.[29] Kotikutoiset tekstiilit näyttävät olleen vähemmistönä monien tehdasvalmisteisten rinnalla.[30]

Tuvan keskeinen sisustustekstiili on Gallénin Liekki-ryijyn toisinto, joka poikkeaa väritykseltään Pariisin maailmannäyttelyn Suomen paviljongin ryijystä.[31] Se oli ollut penkkiryijynä jo Saarisen Helsingin kodissa vuonna 1900.[32]

Suomalaisten kansanryijyjen osuus Hvitträskin sisustustekstiileinä näyttää lisääntyneen 1910-luvun loppua kohden. Niitä pidettiin sekä

175

seinällä että lattialla.

Kansanryijyjen hehkuvaa kolorismia lukuun ottamatta olivat Hvitträskin interiöörit väritykseltään maanläheisiä. Tekstiilit pitäytyivät luonnonvalkoisissa, kellertävissä, ruskeissa ja vihreissä sävyissä,[33] joihin yhdistyi alakerrassa huonekalujen ruskehtava väri, ylemmissä kerroksissa valkoinen.[34]

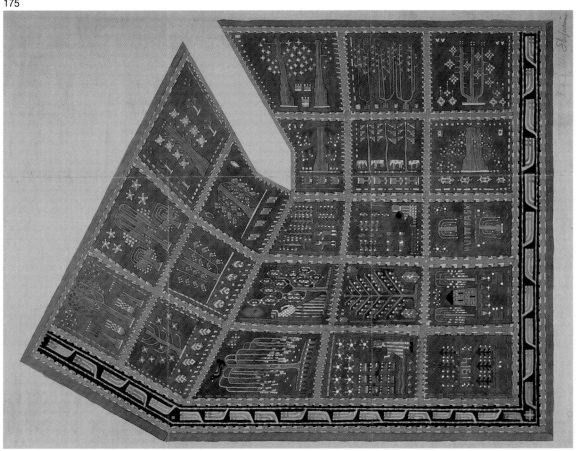

TEXTILES

There were originally several ryijy rugs at Hvitträsk, draping from the wall across the back of seating and down to the floor. They were done to designs by Eliel Saarinen, and executed by The Friends of Finnish Handicraft. Only one remains in Hvitträsk.[24] Apart from ryijy rugs with a pictorial motif, Saarinen also commissioned from The Friends of Finnish Handicraft monochrome tufted carpets,[25] mainly for the bedrooms.[26]

175, 176

According to hearsay, there was a weaving loom in Hvitträsk[27] which was used for small textiles[28] such as curtains, tablecloths and rag mats.[29] Homespun textiles were less common than the factory-produced variety.[30]

The ryijy rug hanging in the living room is a variant of Gallén's Flame rug, but differs in colouring from the one exhibited in the Finnish pavilion at the Paris World Fair.[31] It had earlier been a seat drape at Saarinen's Helsinki home 1900.[32]

The ryijy rug illustrating Finnish national themes gained greater popular-

ity as a wall hanging in Hvitträsk towards the end of the 1910s. It was used to decorate walls and floors.

Apart from the glowing colourism of the ryijy rugs with national themes, the Hvitträsk interiors were decorated with earthen colours. The textiles were limited to natural white, yellowish, brown and green shades[33] with which the brownish tinge of the ground floor furniture and the white upper floor furniture matched well.[34]

176

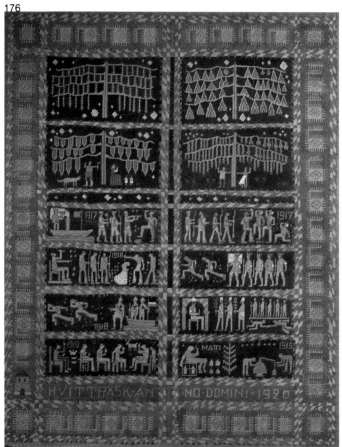

175 Ruokasalin ryijy. Eliel Saarisen tussi- ja vesiväripiirustus vuodelta 1914.
Ryijy *rug in the dining room. Ink and water colour drawing by Eliel Saarinen, 1914.*

176 Ryijy. Eliel Saarisen tussi- ja vesiväripiirustus vuodelta 1920.
Ryijy *rug. Ink and water colour drawing by Eliel Saarinen, 1920.*

VALAISIMET

177-179 Hvitträsk valaistiin melkein Saarisen Suomesta lähtöön saakka kyntti-
löillä sekä öljy- tai kaasulampuilla.

Riippuvalaisimena toiminut öljylamppu kätkettiin yleensä kankaisen
tai metallista tehdyn varjostimen taakse.

Saarinen näyttää keränneen kansanryijyjen lisäksi myös vanhoja mes-
sinkilampetteja. Tuvassa Liekki-ryijyn yläpuolella lampetit vaihtuivat
ainakin kolme kertaa, viimeisiksi jäivät suurikokoiset kirkkolampe-
tit.[35] Ruokasalin antiikkilampettien tilalle ilmestyivät aikanaan Saari-
sen itsensä suunnittelemat valaisimet.

180 Ateljeen lähes ympärivuorokautinen valaistuksentarve talvisaikaankin
oli erityisongelma, joka ratkaistiin kaasuhehkulampuilla.[36]

Juuri ennen Saarisen Yhdysvaltoihin muuttoa, todennäköisesti vuonna
1920, Hvitträskiin alettiin saada sähkövaloa.[37] Ainakin tuvassa käytet-
tiin kuitenkin edelleen vanhoja lampunvarjostimia, sähköjohto vain
peitettiin. Nimenomaan sähkölamppuja varten suunniteltuja saattoivat
olla muutamat puukehikkoon pingotetut batiikkivarjostimet.[38]

LIGHT FITTINGS

177-179 Hvitträsk was lit by oil or gas burning lamps until close to the departure
of Saarinen from Finland.

The pendant oil lamps were usually concealed by a cloth or metal shade.

Saarinen seems to have collected old brass sconces, as well as ryijy rugs
with national themes. The sconces over the Flame ryijy rug were changed
at least three times; ultimately what remained were church sconces of
sizeable proportions.[35] The antique-style sconces in the dining room were
later replaced by light fittings designed by Saarinen himself.

180 The need for practically day-long lighting in the studio in winter pre-
sented a special problem, only solved by gas incandescent bulbs.[36]

Shortly before Saarinen went to the United States, probably in 1920,
Hvitträsk was provided with electricity.[37] In the living room the lamp-
shades were never changed, the electric flex was only concealed. There
are some shades made of a wood frame on which a batik covering is
stretched, which were possibly for use as lampshades for electric bulbs.[38]

177

178

180

177 Ruokasalin riippuvalaisin, re-
konstruktio.
*Pendant light fitting used in the
dining room, reconstruction.*

178 Kynttilänjalka, takorautaa.
Candlestick, wrought iron.

179 Tuvan kattokruunu, puuta.
Living room chandelier, wood.

180 Ateljeen kaasuhehkulamppu.
*Gas incandescent bulb used in
studio.*

SISUSTUKSET HUONEKOHTAISESTI

TUPA[39]

Korkeaan hirsiseinäiseen huoneeseen tulee keskipäivän valoa kahdesta kulmaikkunasta, mikä tekee tilan valaistuksen jossain määrin rauhattomaksi.[40]

159, 184 Tuvassa on jättiläismäinen tiilestä muurattu tulisija, jonka teho lienee
164 ollut melkoinen: tuvan puolella olevien uunin ja takan lisäksi samaan palomuuriin yhdistyy eteisen uuni.[41] Takan kuparinen kipinäsuojus on
158 mitä todennäköisimmin Eric O. W. Ehrströmin valmistama.[42] Takorautaiset tulenkohennusvälineet ovat paikallisen sepän, Alexander
181, 182 Hartmanin, tuotantoa.[43]

Huoneen ensimmäiseen kalustusvaiheeseen kuuluivat tiiliuunin ja kiinteän kulmasohvan luona olleet korituolit[44] ja pöytä[45] sekä porrassei-
183 nän vierustalla ollut raskastekoinen lipastokaappi ja kaksi nk. Wigwam-kaluston pikkutuolia.[46]

ROOM INTERIORS

LIVING ROOM[39]

The midday sunlight penetrates the high log walled room through two corner windows and gives the space a somewhat restless character from the lighting standpoint.[40]

159, 184 *The living room has a massive brick fireplace, which must have thrown
164 off considerable heat; the firebrick wall served the stove in the entrance hall, in addition to the living room stove and grate.[41] The copper fire-
158 guard is reliably thought to be the work of Eric O.W. Ehrström.[42] The
181, 182 wrought iron dampers and bellows were made by Alexander Hartman, a local smith.[43]*

*The room's furniture initially comprised cane chairs[44] and a table[45] which stood beside the tiled stove and the built-in corner sofa and a strong chest
183 of drawers, and two small chairs from the Wigwam series[46] standing by the staircase.*

181

182

183

184

185

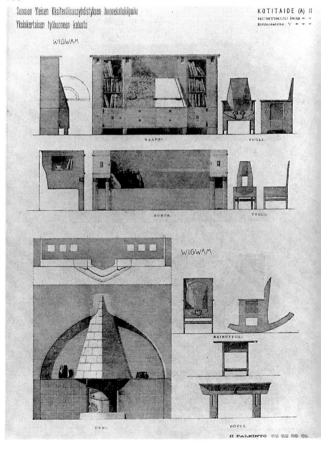

Saarinen teetti itselleen Wigwam-kalustosta pikkutuolien lisäksi ainakin pari nojatuolia, pöydän ja sohvan.[47] Nämä lakatut tai vahatut reliefikoristeiset herrainhuoneen kalusteet olivat luultavasti olleet Saarisen asunnossa Hvitträskin piharakennuksessa.[48] Huonekalut ovat saattaneet jäädä pikkutuoleja lukuun ottamatta piharakennukseen Saarisen muuttaessa päärakennukseen, sillä ne siirtyivät myöhemmin Geselliuksen mukana päärakennuksen pohjoissiipeen.[49] Ilmeisesti ne tuhoutuivat

185 vuoden 1922 tulipalossa. Saarinen oli suunnitellut Wigwam-kaluston helmikuun puoliväliin mennessä 1902 kilpailutyöksi Suomen Yleiselle Käsiteollisuusyhdistykselle,[50] jonka puuseppäin ammattikoulussa huonekalut myöhemmin valmistettiin arpajaisvoitoksi.[51] Kalusto on poikkeuksellisen mielenkiintoinen edustaessaan esinesuunnittelussa samaa tyylivaihetta kuin Hvitträskin rakennukset.

184 Tupa sai nimenomaan sinne suunnitellun kaluston vasta muutamaa 170,174 vuotta rakennuksen valmistumisen jälkeen, 1905–06.[52] Tammipuiseen 186-188 intarsia- ja kierteissorvauskoristeiseen kalustoon kuuluu kolme nojatuolia, kirjakaappi,[53] kaappikello, karttapallo jalustoineen ja pelipöytä, ehkä myös Liekki-ryijyn alustana ollut penkki.[54] Puuosat ovat vi-

In addition to the two small chairs, Saarinen had two armchairs, a table and a sofa manufactured for himself in the same series.[47] Varnished or waxed, with bas-relief ornamentation, these study furniture items probably stood in the smaller building, where Saarinen lived first.[48] He must have left them there since all but the small chairs moved later with Gesellius to the north wing,[49] only to be lost in the 1922 fire, presumably.

185 Actually, Saarinen had designed the Wigwam suite as a competition entry for The Finnish General Handicraft Society before mid-February 1902.[50] It was later produced as a lottery prize by the carpentry trade school of the Society.[51] The suite is of particular interest as it is representative of artefacts contemporary in style with the Hvitträsk buildings.

184 In 1905–06, only after the buildings were finished, did the living room get the furniture especially designed for it.[52] The suite, built of oak with intarsia and convoluted ornamentation, comprised three armchairs, bookcase,[53] grandfather clock, pedestal globe of the world, and card table; it may have also included the bench supporting the Flame ryijy rug.[54] The wooden surface was treated with a green tinted finish, and a green broadcloth used for the bookcase curtains and probably for the upholstery of

86

187

181 Tuvan uunin tulenkohennusvälineet, takorautaa.

Damper irons used in the living room stove.

182 Tuvan uunin 'rollirauta', takorautaa.

Convoluted iron support of the living room stove, wrought iron.

183 Tupa vuosina 1903–05.

The living room 1903–05.

184 Tupa vuosien 1906–07 jälkeen.

The living room after 1906–07.

185 Eliel Saarinen: herrainhuoneen kalusto Wigwam, kilpailuehdotus. Tussi- ja vesiväripiirustus vuodelta 1902.

Eliel Saarinen: Wigwam study furniture suite, competition entry. Ink and wash drawing, 1902.

186 Tuvan kaappikellon kellotaulu.

Face of grandfather clock in the living room.

187 Tuvan kirjakaapin intarsiakoriste.

Intarsia ornamentation of the living room bookcase.

hertäviksi käsitellyt, ja kirjakaapin verhot sekä todennäköisesti myös tuolien ja kulmasohvan päälliset ovat olleet vihreää verkaa.[55] Kaluston valmistustekniikka ja koristelutapa viittaavat Bomanin tehtaaseen.

Tuvan ikkunoissa oli aluksi valkoiset,[56] myöhemmin keltaiset kotikutoiset verhot.[57] Lattialla korkeiden ikkunoiden edessä oli luonnonvalkoinen vain reunaornamenteilla koristeltu nukkamatto.[58] Tuvan ja ruokasalin välinen oviaukko voitiin sulkea paksuilla verhoilla.[59]

179 Tuvan puinen riippuvalaisin, kynttiläkruunu, lienee Loja Saarisen suunnittelema.[60] Kuparinen valaisin sohvaryhmän kohdalla on uusi, Hvitträskin leikkauspiirustuksissa tällä paikalla esiintyvän valaisimen mukaan valmistettu.[61]

RUOKASALI

Ilta-aurinkoon avautuva holvattu tila on jaettu aitauksella[62] oleskelu-
189, 190 ja ruokailupuoleksi. Suippokaarisissa ikkunoissa on ollut väriltään luultavasti vihreää lyijylasia.[63] Ruokapöydän luona olevan lasimaa-

the chairs and corner sofa.[55] The manufacturing technique and ornamentation of the suite suggest the Boman factory.

The homespun curtains on the living room windows were initially white[56] and later yellow.[57] There was a natural white tufted rug with decorative border on the floor in front of the high windows.[58] The opening between the living room and the dining room could be screened with heavy curtains.[59]

179 The pendant wooden lamp fitting in the living room was intended for candles, and was perhaps designed by Loja Saarinen.[60] The copper light fitting over the sofa is a reproduction based on a light fitting shown in the Hvitträsk section drawings of this space.[61]

DINING ROOM

The space, over which there is a vaulted ceiling, is lit by the setting sun,
189, 190 and divided by a balustrade[62] into dining room and lounge. The pointed arch windows were probably glazed with green-tinted leaded lights.[63] The

188

152, 190 lauksen on suunnitellut Olga Gummerus-Ehrström.[64] Ruokasalin fres-
151 kokoristelu on todennäköisesti Väinö Blomstedtin tekemää.[65]

190 Ruokasalin ensimmäinen kalusto oli yksinkertainen, kuusi pinnaselus-
taista pehmustamatonta tuolia ja orsijalkapöydän[66] käsittävä.[67] Niiden
pinta oli aluksi lakattu tai vahattu, mutta ne maalattiin useaan kertaan
ilmeisesti jo Saarisen aikana.[68] Kalusto lienee suunniteltu vuosina
1902–03.[69]

167, 173 Uusi kalusto voidaan ajoittaa tuolien selkälaudoissa näkyvän vuosilu-
122 vun, 1918, perusteella. Kahdeksan tammituolia ja pöytä ovat reliefiko-
risteiset, tuolien päällinen on luultavasti alun perin ollut kangasta.[70]

189 Matalan kulmasohvan[71] päällisenä oli pitkään kukikas tekstiili, jonka
tilalle Eliel Saarinen suunnitteli vuonna 1914 harvahkon penkkiryi-
175, 191 jyn.[72] Kuva-aiheet kertovat elämästä Hvitträskissä. Saarinen on ku-
vannut niissä perheenjäseniä attribuutteineen: " . . . Loja-rouvan kuk-
kineen, Eva-Pipsanin vaaleana prinsessana kruunuineen ja Eero-pojan
rakkaine eläimineen . . . "[73]

152, 190 *stained glass window over the dining table is by Olga Gummerus-Ehr-*
151 *ström.[64] The mural is almost certainly the work of Väinö Blomstedt.[65]*

190 *The original dining suite was modest: it comprised a crossbeamed table[66]
and six spindle-backed unupholstered chairs.[67] The surfaces were var-
nished or waxed at first but then received several coats of paint, probably
already in Saarinen's day.[68] The suite was probably designed in 1902–
03.[69]*

167, 173 *The age of the present suite may be accurately judged from the year on
122 the backs of the chairs, 1918. The oak table and eight chairs (the seats of
which were probably originally cloth-upholstered) have a bas-relief orna-
mentation.[70]*

189 *The low corner sofa[71] was long draped by a textile with a floral motif. It
was replaced by a loose-weave ryijy seat drape designed by Eliel Saarinen
175, 191 in 1914.[72] The themes describe life in Hvitträsk. Saarinen illustrates his
family and their attributes: " . . . Mrs Saarinen with her flowers,
Eva-Pipsan crowned as a fair-haired princess and the small boy Eero with
his beloved animals . . . "[73]*

89

90

191

188 Luultavasti Pipsan Saarista esit-
tävä tuvan kirjakaapin koriste-
laatta, tinaa. Todennäköisesti
Géza Marotin suunnittelema.

*Decorative mounting of the living
room bookcase, pewter. Probably
a study of Pipsan Saarinen. De-
signed by Géza Maroti, presum-
ably.*

189 Ruokasali vuosina 1906–07.

The dining room, 1906-07.

190 Ruokasali ennen vuotta 1914.

The dining room before 1914.

191 Ruokasalin penkkiryijy vuodelta
1914. Yksityiskohta.

*Ryijy rug draped over seating in
dining room, 1914. Detail.*

189 Ruokasalin riippuvalaisimena on ollut kaksi erilaista lyhtymäistä öljy-
177,190 lamppua.[74] Eliel Saarisen suunnittelemat messinkilampetit, joiden ko-
194,195 risteaiheena on Hvitträskin piharakennuksen torni, ilmestyivät ruoka-
pöydän viereiselle seinälle 1910-luvun puolivälin maissa.[75]

Tuvan puoleisella seinällä, oviaukon vieressä, on ollut piano.[76]

189 *The pendant light fittings in the dining room were two lantern-shaped*
177,190 *oil lamps.[74] The brass sconces by Eliel Saarinen, decorated with the*
194,195 *tower motif belonging to the smaller building in Hvitträsk, made their*
appearance on the wall next to the dining table about 1915.[75]

A piano stood against the living room wall next to the door opening.[76]

TALOUSTILAT

197 Taloudenhoitoon liittyviä tiloja ovat olleet pohjoiseen avautuva keittiö
196 eteisineen ja komeroineen sekä pari palvelusväen käytössä ollutta huo-
netta.[77] Keittiöstä oli erotettu omiksi tiloikseen tarjoiluhuone ja mah-
dollisesti myös tiskikeittiö.

Kaakeleilla päällystetty tavallinen puuhella oli keittiön kaakkoisnur-
kassa.[78] Tilavan huoneen keskilattialla oli suuri vetolaatikoilla varustet-
tu pöytä tuoleineen.[79] Muitakin keittiökalusteita tietysti oli, mutta nii-

DOMESTIC SPACES

197 *The spaces connected with domestic tasks were the north-facing kitchen,*
196 *with its hallways and storage areas and two rooms used by the domestic*
staff.[77] Next to the kitchen there was a separate servery and possibly a
scullery.

A standard wood-burning kitchen stove with a glazed tile finish stood in
the southeast corner of the kitchen.[78] In the centre of the large room

192

193

194

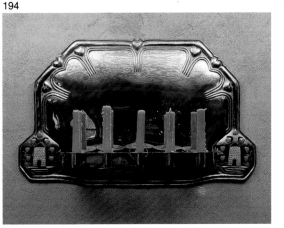

195

192 Ruokasalin lasimaalaus. Suunni-
tellut Olga Gummerus-Ehrström
1904–05.
*Stained glass in dining room. De-
signed by Olga Gummerus-Ehr-
ström, 1904–05.*

193 Kahvikalusto, messinkiä. Suun-
nitellut Eliel Saarinen.
*Coffee service, brass. Designed
by Eliel Saarinen.*

194 Ruokasalin messinkilampetti, re-
konstruktio. Suunnitellut Eliel
Saarinen 1910-luvun puolivälissä.
*Brass sconce used in dining room,
reconstruction. Designed by Eliel
Saarinen about 1915.*

195 Lampetin emalikoriste.
Enamel ornamentation on sconce.

den tarkka sijainti ei ole selvinnyt.[80] Keittiö ei ollut värityksseltään valkoinen, ei edes aivan vaaleakaan, vaan harmahtava,[81] ehkä siniseen sävytetty.[82] Asiaan kuuluivat monenlaisten kupari- ja messinkiastioitten kiiltäväkylkiset rivistöt keittiön hyllyillä.[83]

Tiskikeittiössä, jonne pääsi keittiön eteläseinällä olevasta ovesta, oli kaksialtainen tiskipöytä.[84] Talousportaan eteen jäävässä melko kapeassa tarjoiluhuoneessa on ollut ainakin lähes kattoon ulottuva lasiovellinen astiakaappi.[85]

stood a large table equipped with drawers, and several chairs.[79] The room contained other kitchen furniture also, but its precise position is not known.[80] The kitchen was not white or even off-white but greyish in colour,[81] even with a tinge of blue.[82] Included in the picture were a selection of copper and brass vessels, shining in rows on the kitchen shelves.[83]

The scullery, reached through a door in the south wall of the kitchen, had a double sink unit.[84] The rather cramped servery next to the stairs had at least a dresser with glazed doors that was almost as high as the room.[85]

196

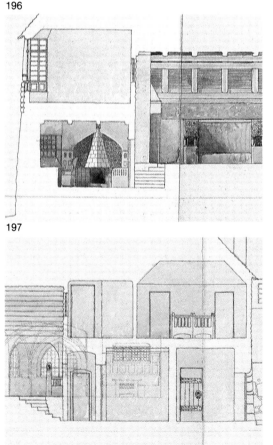

197

198

196 Eteisen perällä sijainnut huone Hvitträskin leikkauspiirustuksessa vuodelta 1902(?).

Room at rear of entrance hall as in sectional drawing of Hvitträsk, 1902(?).

197 Keittiö Hvitträskin leikkauspiirustuksessa vuodelta 1902(?).

Kitchen as in sectional drawing of Hvitträsk, 1902(?).

198 Tarjoiluhuone Vuorioiden aikana.

Servery at the time of the Vuorios.

TOIMISTO: ATELJEE, BILJARDIHUONE JA KIRJASTO

Etelä- ja pohjoissiiven välissä sijaitseva länteen avautuva 'byrå' oli asunnoista selkeästi erotettu tila. Sen kummassakin päässä oli uloskäynti keskuspihalle.

Toimiston varhaisimmista vaiheista ei ole tietoa. Leikkauspiirustuksissa näkyy Lindgrenin asunnon puoleisessa päädyssä sohvasyvennyksen vieressä kamiina, jollainen huoneessa ainakin myöhemmin oli. Saarisen päätyyn piirretty toiseen kerrokseen johtava avoportaikko ei liene koskaan toteutunut.

62, 118 Kun ateljeen väliseinä rakennettiin 1908,[86] Saarisen työtilat kävivät ahtaiksi ja piirustuspöytiä siirrettiin myös nykyisen kirjaston puolelle.
114 Ateljeen etuosaan mahtui kuitenkin biljardipöytä; se näkyi 1910-luvun alun valokuvissa.[87] Samoissa kuvissa näkyi myös kirjaston sohvasyvennys tiiliuuneineen.[88] Huoneen toisena lämmittäjänä oli punaruskea kaakeliuuni ateljeen väliseinän nurkassa.[89] Rautakamiina lienee jäänyt Gesselliuksen ateljeen ainoaksi lämmittäjäksi.

THE OFFICE, COMPRISING THE STUDIO, BILLIARD ROOM AND LIBRARY

The west-orientated office, situated between the north and south wings, was distinctly separate from the dwelling areas. At either end of it there was a door leading to the courtyard.

Little is known about the original interior arrangements within the office. In a section drawing, there is an iron stove near the recessed sitting area at the end next to Lindgren's dwelling; it was in use later certainly. The open tread staircase to the upper level planned at Saarinen's end of the studio was probably never built.

62, 118 *When the studio partition was erected in 1908,[86] Saarinen's working area became restricted and some draughting tables were transferred to the*
114 *present library. The nearer end of the studio still had space for a billiard table, to be seen in photographs taken after 1910.[87] The library inglenook with its tiled stove is visible in the same photographs.[88] The other source of heat in the room was the reddish brown tiled stove in the corner next to the partition.[89] The iron stove seems to have been the only source of heat*

199

201

200

199 Kirjasto vuoden 1916 jälkeen.
Library after 1916.

200 Kirjoituspöytä vuodelta 1907.
Writing desk, 1907.

201 Kirjoitustuoli vuodelta 1907.
Writing chair, 1907.

202 Ateljee vuoden 1916 jälkeen.
The studio after 1916.

202 Geselliuksen kuoltua vuonna 1916 väliseinä purettiin,[90] ja ateljee tuli täydessä pituudessaan Saarisen käyttöön. Riika-tuolien ja pukkijalka-pöytien joukkoon ilmestyi silloin pari uutta orsirakenteista piirustus-pöytää.[91] Suuri piirustuskaappi sijoitettiin nykyiselle paikalleen,[92] ja itäseinän puolelle ateljeen etuosaan sisustettiin oleskeluryhmä neljästä

166 chesterfield-tyyppisestä nojatuolista, pöydästä ja hyllykkökaapista.[93]

Tilojen väljennyttyä oli mahdollista järjestää kirjasto toimiston etelä-päätyyn. Saarinen siirsi sinne tuvasta Bomanilla vuonna 1907 teetetyn

200, 201 upean kirjoituspöydän tuoleineen ja rakensi kolmelle seinälle kirjahyl-
199 lyt.[94] Takkasyvennyksen penkkiryijy on suunniteltu ehkä nimenomaan
88 uuteen kirjastoon.[95] Tila voitiin eristää ateljeesta verkaverhoilla,[96] ja se lienee toiminut paitsi kirjastona myös arvokkaana herrain-, vastaanot-to- tai neuvotteluhuoneena.

Rautakamiina siirrettiin aivan ateljeen etuosassa olevaan syvennyk-seen. Sen vieressä suurten ikkunoiden alla oli paksuputkinen metalli-patteri.[97]

at the end of the studio used by Gesellius.

202 *When Gesellius died in 1916, the partition was dismantled[90] and the whole length of the studio put at Saarinen's disposal. The Riika chairs and the trestle tables were now joined by a pair of new crossbeam draughting tables.[91] The large drawing chest was placed where it is to-day[92] and the back of the studio on the east side was furnished with four*
166 *chesterfield chairs, a table and a cabinet with shelves.[93]*

Given the additional space, it was possible to set up a library at the south
200, 201 *end of the studio. Saarinen brought the fine writing desk and chair, made by Boman in 1907, from the living room to the library and made book-*
199 *shelves to fit along three walls.[94] The ryijy rug draped over the inglenook*
88 *seats may have been actually designed for the new library.[95] The space could be separated from the studio by a broadcloth curtain[96] and, apart from being a library, it acted as an invaluable study, reception and dis-cussion room.*

The iron stove was moved to the recess at the near end of the studio. Next to it, beneath the big windows, was a metal radiator with large bore pipes.[97]

202

ELIEL JA LOJA SAARISEN MAKUUHUONE

Toisesta kerroksesta oli varattu yhtä paljon tilaa vanhempien ja lasten käyttöön.

Vanhempien makuuhuoneen ympärille ryhmittyivät kylpyhuone ja erillinen WC sekä kukkahuone, josta oli pääsy parvekkeelle.[98] Makuuhuoneen 'terveysikkunat' ovat nousevan auringon suuntaan.

Makuuhuoneen nykyisen luonnonkuitutapetin sanotaan olevan Saaristen ajalta. Se on kuitenkin japanilaista ruohotapettia 1950- tai 60-luvulta. Saarisen ajalla huoneessa on todennäköisesti ollut kangastapetit — ehkä raavelikankaiset — ja Vuoriot antoivat luultavasti niiden olla paikallaan jonkin aikaa. Kun seinäpinnoite myöhemmin uusittiin, hankittiin materiaalia, joka jossain määrin muistutti alkuperäistä.[99]

Hvitträskin leikkauspiirustuksissa näkyi makuuhuoneen kalustuksena 203, 204 kaksi pinnapäätyistä vuodetta sekä kampauspöytä. Viimeksi mainittu 206, 207

ELIEL AND LOJA SAARINEN'S BEDROOM

Parents and children had an equal share of the first floor area.

Grouped in the vicinity of the parents' bedroom were the bathroom, separate w.c., and flower room, leading to a balcony.[98] The windows catch the rising sun.

The natural fibre paper now on the bedroom wall is alleged to date from the time of Saarinen. It is actually a Japanese reed wallpaper manufactured in the 1950s or 1960s. The room probably had a textile covering in Saarinen's day (perhaps a buckram cloth) and the Vuorios presumably did not alter it for some time. When the wall covering was later renewed, something akin to the original was used.[99]

In the section drawings of Hvitträsk the bedroom is furnished with two beds and a dressing table. The bedheads are spindle-ornamented. The dressing table is almost as it was, and stands where it used to stand

203   204

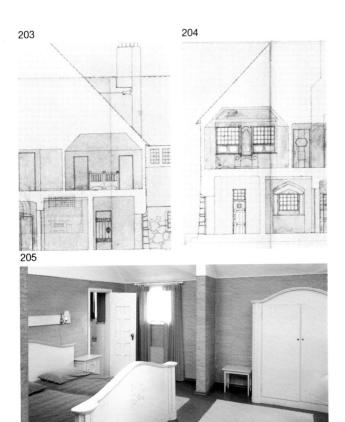

205

206

on olemassa melkein sellaisenaan, ja se sijaitsee alkuperäisellä paikal-
206, 207 laan ikkunoiden välissä. Voidaan olettaa, että myös vuoteet toteutui-
vat piirrettyjen kaltaisina, vaikka ne eivät ole säilyneet. Makuuhuo-
171 neen kalustukseen ovat ilmeisesti alusta lähtien kuuluneet vielä ole-
massa olevat korkeaselustaiset pikkutuolit, jotka reliefikoristelu yhdis-
tää tyylillisesti kampauspöytään. Ainakin tuolit, mahdollisesti myös
kampauspöytä, ovat alun perin olleet lakatut.[100] Makuuhuoneen van-
himmat huonekalut, joihin edellisten lisäksi kuuluvat ehkä vielä yö-
pöydätkin, ovat todennäköisesti vuosilta 1902–03. Ne on mahdollises-
ti valmistanut Suomen Yleinen Käsiteollisuusyhdistys.

205 Makuuhuoneen sisustusta uudistettiin klassisistisista piirteistä päätel-
208 len 1910-luvulla. Vanhojen sänkyjen tilalle tuli kaarevapäätyinen pari-
vuode ja vaatekaappi.[101] Vuoteen päädyssä on samanlainen ruususep-
209 peleen ympäröimä torni, jollaista Loja Saarinen käytti embleemi-
nään.[102]

Huoneessa on ollut kaksi valkoista ja yksi vihreä nukkamatto.[103]

between the two windows. The beds were presumably built as drawn, even
if they are no longer in existence. The original bedroom furniture must
171 have included the present high-backed small chairs, whose bas-relief or-
namentation is stylistically in keeping with the dressing table. The chairs,
perhaps the dressing table too, were originally varnished.[100] The oldest
furniture in the bedroom, which in addition to the foregoing perhaps in-
cluded a night table, probably date from 1902–03. They may have been
produced by The Finnish General Handicraft Society.

205 The bedroom interior, to judge by its classicistic lines, was renovated dur-
208 ing the 1910s. A double bed with rounded bedhead and wardrobe took the
place of the original beds.[101] The bedhead is adorned with the tower fes-
209 tooned with roses that Loja Saarinen used as her emblem.[102]

The room contained one green and two white tufted rugs.[103]

207

208

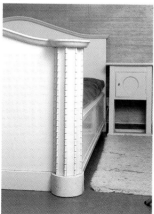

209

203 Vanhempien makuuhuone Hvit-
   träskin leikkauspiirustuksessa
   vuodelta 1902(?).
   *Master bedroom as shown in sec-
   tional drawing, 1902(?).*

204 Vanhempien makuuhuone Hvit-
   träskin leikkauspiirustuksessa
   vuodelta 1902(?).
   *Master bedroom as shown in sec-
   tional drawing, 1902(?).*

205 Makuuhuone, huonekalut 1910-
   luvulta.
   *Bedroom, with furniture from the
   1910s.*

206 Pukeutumispöytä, vrt. leikkaus-
   piirustus kuva 204.
   *Dressing table, compare sectional
   drawing in illustration 204.*

207 Pukeutumispöytä, yksityiskohta.
   Dressing table, detail.

208 Parivuode, yksityiskohta.
   Double bed, detail.

209 Parivuode, yksityiskohta.
   Double bed, detail.

KYLPYHUONE JA WC

Saarisen asunnossa on muistitiedon mukaan ollut samanlainen lattiaan upotettu amme kuin Geselliuksen puolen kylpyhuoneessa — tietoa ei tosin ole saatu vahvistetuksi.[104] Varmaa on vain se, että Saarinen oli kiinnostunut tällaisesta ratkaisusta Hvitträskin rakentamisen aikoihin: vuonna 1903 hän piirsi Suur-Merijoen kartanoon upotetun ammeen.[105] Hvitträskin kylpyhuoneen amme — olipa se sitten allasmainen tai tavallinen — vaihdettiin uuteen valurautaiseen vuonna 1935.[106] Nykyinen amme on 1950-luvun alusta,[107] jolloin myös purettiin ylähallin erillinen WC.[108] Pesualtaat lienevät alkuperäisellä paikallaan ja vitriinikaapit Saarisen ajalta.[109]

Vettä saniteettitiloihin ja keittiöön saatiin 1910-luvun lopulla Vitträskjärvestä öljymoottorilla pumppaamalla. Pumppuhuone oli rannassa nykyisen saunan paikalla, ja vesi johdettiin päärakennuksen ullakolla olevaan turpeella eristettyyn vesisäiliöön. Kylpyhuoneessa oli vedenlämmitin.[110]

Kylpyhuoneen käyttö lienee ollut melko rajoitettua: lastenhuoneessa sekä vieraiden ja palvelusväen tiloissa oli henkilökohtaista hygieniaa varten komuutit.[111]

KUKKAHUONE

Itään avautuva erkkerihuone, jossa Loja Saarinen viljeli eksoottisia kasveja,[112] oli pitkään kalustettu vain parilla korituolilla.[113] Siro valkoinen sohvan, pöydän ja kolme nojatuolia käsittävä nuorempi kalusto yhdistyy tyylillisesti vieressä olevan makuuhuoneen parivuoteeseen, ja

---

BATHROOM AND W.C.

According to recollection, the same sunken bath solution was employed in the homes of both Saarinen and Gesellius but nothing survives to confirm this.[104] Saarinen certainly displayed interest in such a solution while he was still building Hvitträsk: in 1903, he planned a sunken bath at Suur-Merijoki manor house.[105] The bath tub in the Hvitträsk bathroom, whether it was of the sunken or normal variety, was replaced by a cast iron tub in 1935.[106] The present bath dates from the early 1950s,[107] when the separate w.c. in the upper hall was also removed.[108] The handbasins would seem to be in their original position and the glazed bathroom cabinets appear to date from Saarinen's day.[109]

At the end of the 1910s, water was supplied to the sanitary fittings and the kitchen from Vitträsk lake by means of an oil-driven pump. The pump house was at the lakeside where the sauna is now, and water was pumped to a tank, insulated with peat, in the attic of the main building. There was a water heater in the bathroom.[110]

Use of the bathroom seems to have been quite limited: there were washstands for personal hygiene in the children's room, guest rooms and domestic staff rooms.[111]

FLOWER ROOM

This east-orientated room with a bay window, where Loja Saarinen cultivated exotic plants[112] was long furnished with just a couple of cane chairs.[113] The graceful suite of white table, sofa and three armchairs

---

210

211

212

210 Kylpyhuone Vuorioiden aikana.
The bathroom at the time of the Vuorios.

211 Kukkahuoneen varhaisempi sisustus.
Earlier interior of flower room.

212 Kukkahuoneen pöytä, 1910-luku.
Flower room table, from the 1910s.

213 Lastenhuoneen jakkara.
Stool from children's room.

214 Lasten leikkihuone 1908–09.
The children's playroom, 1908–09.

voidaan olettaa, että kalustot ovat samalta ajalta.[114]

Makuuhuoneen ja parvekkeen ovien välisellä seinällä on ollut kaakeli-uuni, jonka kaakelit lienevät olleet samanvärisiä kuin naapurihuoneessa.[115]

LASTENHUONEET

Saarisen lapsille sisustettiin sekä makuuhuone että erillinen leikkihuone.[116] Niiden lähellä oli lastenhoitajan, myöhemmin kotiopettajan, huone.[117] Lastenhuoneet olivat laskevan ja hoitajan huone nousevan auringon puolella.

Nykyistä ylähallia lähempänä olleen makuuhuoneen sisustus on vain osittain selvillä. Sen kalusteista on jäljellä kaksi pinnasänkyä sekä muutama samantyylinen pikkutuoli.[118] Vuoteet ovat sijainneet peräkkäin eteläisen seinän vierustalla ja muut huonekalut ikkunan edessä.[119] Huoneen väritys lienee ollut vaalea, lähes valkoinen.[120]

214 Makuuhuoneen vieressä oleva tila sisustettiin leikkihuoneeksi 1908–09,[121] aluksi siis vain Pipsanin käyttöön. Sininen[122] kaakeliuuni oli ollut paikallaan alusta lähtien. Sen freskokoristelu on ehkä Väinö Blomstedtin tekemää.[123] Katto-ornamentiikka on toisentyylistä ja
154 nuorempaa.

Leikkihuoneen valkoiseksi maalattuun kaaviokoristeiseen kalustoon kuuluivat huoneen perälle sijoitettu kuuden pikkutuolin, pöydän, penkin ja parin kaapin[124] muodostama ryhmä sekä kaksi työpöytää ja
213 neljä pallia.[125]

matches the double bed in the adjacent bedroom, and one may assume that they are all contemporaneous.[114]

There was a tiled stove against the wall between bedroom and balcony doors, whose tiles would seem to have matched those in the neighbouring room.[115]

THE CHILDREN'S ROOMS

The Saarinen children had two rooms furnished for them, one for sleeping and one for playing.[116] The room used by the nurse (later the private tutor) was nearby.[117] The children's rooms faced west, and the other room faced east.

The interior of the bedroom nearer the upstairs hall may be partly surmised. Nothing of its furniture remains other than two children's cots and a few small chairs in the same style.[118] The beds were placed end to end along the south wall, and the other furniture stood against the window wall.[119] The paintwork seems to have been light-coloured, almost white.[120]

214 The room next to the bedroom was fitted as a playroom for Pipsan initially, in 1908–09.[121] The original stove was faced with bluetiles.[122] The fresco decoration on it may be Väinö Blomstedt's work.[123] The ceiling
154 decoration is not in the same style and is more recent.

The playroom had a white-painted suite with a stencilled motif; at the back of the room were arranged a group of six small chairs, a table, 213 bench, and two wardrobes.[124] There were also two desks and four stools.[125]

213
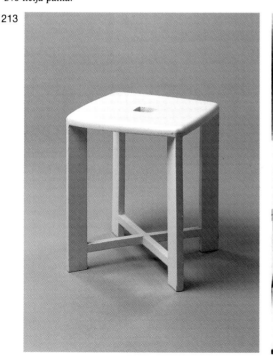

214

Oleskeluryhmän yhteyteen teetettiin SKY:ssä Eliel Saarisen suunnittelema puuaiheinen penkkiryijy.[126] Sen päävärit ovat vaaleanruskea ja tiilenpunainen. Huoneen muuta väritystä koskevat tiedot ovat jossain määrin ristiriitaisia. Kelta-valkoinen se on ollut jo ennen Vuorioiden aikaa.[127]

Leikkihuone täytti joka suhteessa modernit 'lasten vuosisadan' vaatimukset.[128]

RUUSUKAMARI JA MUUT ULLAKKOKERROKSEN HUONEET

Isoisän huone — vierashuoneista vasemmanpuoleinen — ei koskaan ehtinyt saada Saarisen suunnittelemia kalusteita,[129] ei myöskään apulaisen huone, joka on rakennuksen ylimpänä sijaitseva huone.[130]

215 Ruusukamarin kalustus sen sijaan on Saarisen piirtämä. Siihen ovat kuuluneet oleskeluryhmän pöytä, sohva ja neljä tuolia sekä komuuti peileineen ja yöpöytä.[131] Emalivärillä vitivalkoiseksi maalatun kaluston osien yhteinen tunnus on sorvattu bambunvartta muistuttava pystytuki. Saarisen aikana oleskeluryhmä oli sijoitettu huoneeseen toisin kuin nyt.[132]

Eräiden tyylipiirteiden perusteella kalusto voidaan ajoittaa vuosien 1908–09 paikkeille.[133] Tuntuu luontevalta, että tämäkin huone olisi sisustettu sen remonttien sarjan yhteydessä, joka oli alkanut ateljeesta kesällä 1908 ja jatkunut lastenhuoneessa vuodenvaihteen paikkeilla.

216 Nimensä ruusukamari lienee saanut Sandersonin punavihreän kukallisen kangastapetin mukaan.[134] Saneeraustöiden aikana vuonna 1971 oli vielä mahdollista hankkia uutta samanlaista tapettia.[135]

A ryijy rug adorned with a tree was designed by Eliel Saarinen to match the suite and commissioned from The Friends of Finnish Handicraft.[126] It has light brown and brick red as its chief colours. The remaining colours used in the room are a matter of dispute. They were yellow and white before the arrival of the Vuorios.[127]

The playroom satisfied the modern requirements of 'the children's century' in every respect.[128]

THE ROSE ROOM AND OTHER ATTIC ROOMS

Saarinen did not reach the point of planning the guest room (or grandfather's room) on the left side.[129] The same holds for the maid's room, the uppermost room in the house.[130]

215 The built-in furniture of the rose room stands as Saarinen drew it. It had a table, sofa and four chairs, a mirrored washstand, and a night table.[131] A motif of the enamel white-painted suite is the lathe-turned vertical strut, reminiscent of bamboo cane. In Saarinen's day, the suite was arranged in a different way.[132]

To judge from its style, the suite may be said to date from about 1908–09.[133] It would be natural for the room to have been part of the alterations that started with the studio in summer 1908, and had reached the children's room at the turn of the year.

216 The rose room probably owes its name to the textile wall covering with a red and green floral decoration made by the Sanderson factory.[134] The product was still obtainable when the room was being renovated in 1971.[135]

215

216

Hvitträskin Saarisen asunnon huoneiden kalustamisen lähtökohtana ovat olleet kiinteät itse taloon liittyvät sisustuselementit. Tämä vanhin kerrostuma edusti vuosisadan vaihteessa uudenlaista, englantilaisperäistä sisustamisen tapaa.[136]

Taloon myöhemmin tulleet yksittäiset sisustusesineet kertovat jo muuttuneista tyyli-ihanteista. Hvitträskin sisustuksiin perehtymällä saa käsityksen Saarisen koko Suomen ajan tärkeimmistä tyylivaiheista.

Syrjäisen sijainnin aiheuttamista vaikeuksista huolimatta Hvitträskin asumisessa pyrittiin saavuttamaan kaupunkioloja vastaava mukavuustaso. Teknisessä mielessä rakennus olikin 1920-luvulle tultaessa 'valmis' sähköineen, vesijohtoineen, viemäreineen ja lämmityslaitteineen.

The built-in furniture units belonging to the house were the starting point of furniture design for Saarinen's home. These units, the earliest designed for the house, were in the tradition of the new English turn-of-the-century interiors.[136]

The design objects added to the interiors show that more recent styles were in favour as time went on. A closer examination of the Hvitträsk interiors will uncover examples of the principal styles favoured by Saarinen while he lived in Finland.

At Hvitträsk, despite the obstacles arising from its remoteness, an effort was made to achieve an amenity level equivalent to that of urban living. From a technical standpoint, the building was fully equipped by the start of the 1920s with all electrical, plumbing, drainage and heating installations.

215 Oikeanpuoleinen vierashuone, nk. ruusukamari, 1908–10.
The guest room on the right side, known as the rose room, 1908–10.

216 Ruusukamarin tapettia.
Wall covering of rose room.

217 Hvitträskin nk. kesäportaat. Eric O.W. Ehrströmin puukaiverrus vuodelta 1909.
'Stairway in summer' at Hvitträsk, woodcut by Eric O.W. Ehrström, 1909.

217

Hvitträskin eteläsiiven huonekalupiirustukset eivät ole säilyneet, ja kirjallinen tutkimusaineisto on niukkaa. Sen vuoksi antoisaa lähdemateriaalia ovat olleet valokuvat, joita on runsaasti Suomen rakennustaiteen museon (SRM) ja museoviraston (MV) kokoelmissa. Kirjeenvaihtoa on säilynyt jonkin verran.

1950- ja 60-luvuilla toimeenpannuista muutos- ja korjaustöistä on tietoja Anelma Vuorion teoksessa Kaksikymmentä vuotta Hvitträskin tähden. Tältä ajalta on olemassa myös kaksi laajahkoa valokuvakokoelmaa.

Saarisen asunnon interiöörien saneeraustyöt 1969–71 ovat selvinneet sisustusarkkitehti Marke Niskala-Luostarisen piirustuksista sekä hänen 23.2.1982 antamistaan suullisista tiedoista.

Saarisen asunnosta on vielä olemassa muistitietoa, mutta haastattelujen avulla ei luonnollisesti ole tavoitettu talon kaikkein varhaisimpia vaiheita. Muistitiedoista vanhimmat ovat 1910-luvun puolivälistä. Suurin osa niistä koskee kuitenkin aikaa 1910-luvun lopulta uuden omistajan ajan alkuun, 1940- ja 50-lukujen taitteeseen.

Suullisia tietoja Hvitträskistä ovat antaneet:

Andersson, Birger, kirvesmies, Espoo. Osallistunut Hvitträskin korjaus- ja muutostöihin 1950-luvun alussa. Haastattelu 6.4.1985.

Ehrnrooth, Anita, rouva, Hvitträskin pääopas, asunut Hvitträskin lähellä Tyriksen kartanossa vuodesta 1960 lähtien. Haastattelut 23.10.1981 ja 16.1.1986.

Eriksson, Evert, kirvesmies, Espoo. Osallistunut Hvitträskin korjaus- ja muutostöihin 1950-luvun alussa. Haastattelu 28.3.1985.

Forsman, Georg, kirvesmies, Espoo. Tutustunut paikkakuntalaisena Hvitträskiin jo 1910- ja 20-lukujen taitteessa. Osallistunut korjaus- ja muutostöihin 1950-luvun alussa. Haastattelut 6.4. ja 18.4.1985.

Hjelt, Anna-Liisa, rouva, Helsinki. Asunut Hvitträskin pohjoissiivessä 1910- ja 20-lukujen taitteessa. Haastattelu 27.3.1985.

Meurman, Otto-I., professori, Helsinki. Ollut Saarisen toimistossa töissä 1910-luvun puolivälissä. Haastattelut 24.11.1982 ja 6.4.1985.

von Pfaler, Carl Gustaf, diplomi-insinööri, Porvoo. Anna von Pfalerin, s. Gesellius, poika. Tuntee Hvitträskin 1910-luvun lopulta lähtien. Haastattelu 25.7.1984.

Rosenström, Märta, rouva, Lohja. Vanhemmat asuneet Hvitträskissä 1910-luvun lopulla, rva Rosenström 1930-luvun alussa sisäkkönä Hvitträskissä. Haastattelut 25.7.1984 ja 26.4.1985.

Saarinen, Severi, kauppaneuvos (k. 1983), Helsinki. Ollut Saarisen lasten kotiopettajana 1910-luvun lopulla. Oleskellut muutenkin paljon Hvitträskissä. Haastattelu 8.5.1982.

Sandholm, Lars, puutarhatuottaja, Espoo. Syntynyt Hvitträskissä, asunut piharakennuksessa 1930–44. Haastattelu 6.6.1985.

Åkerlund, Inger, rouva, Espoo. Asunut aina Hvitträskin lähistöllä. Käynyt talossa 1920-luvun lopulta lähtien. Haastattelu 15.4.1985.

The furniture detail drawings belonging to the south wing of Hvitträsk have not survived and other recorded material is scanty. Consequently, the photographic records of the Museum of Finnish Architecture (MFA) and the National Board of Antiquities (NBA) have been a rich source of information. Some private correspondence has also survived.

There are descriptions of the repairs and alterations done in the 1950s and 1960s in Anelma Vuorio's book Kaksikymmentä vuotta Hvitträskin tähden. Two large photographic collections dating from this period also exist.

The extent of renovations in the interior of Saarinen's home during 1969–71 was verified from drawings by Marke Niskala-Luostarinen, interior architect, and from an interview with her on 23.2.1982.

People still survive who recollect the Saarinen home, but interviews did not naturally extend to every stage of its evolution. The earliest accounts go back to about 1915. Most of them involve the period from shortly before the 1920s to the end of the 1940s, when the new owners took possession.

Verbal accounts of Hvitträsk have been given by:

Andersson, Birger, carpenter, Espoo. Worked on repairs and alterations in Hvitträsk at the start of the 1950s. Interviewed on 6.4.1985.

Ehrnrooth, Mrs Anita, chief guide at Hvitträsk, has lived at the Tyris manor house near Hvitträsk since 1960. Interviewed on 23.10.1981 and 16.1.1986.

Eriksson, Evert, carpenter, Espoo. Worked on repairs and alterations at the start of the 1950s. Interviewed on 28.3.1985.

Forsman, Georg, carpenter, Espoo. Living locally, he became acquainted with the house about 1920. Worked on repairs and alterations at the start of the 1950s. Interviewed on 6.4. and 18.4.1985.

Hjelt, Mrs Anna-Liisa, Helsinki. Occupied the north wing of Hvitträsk about 1920. Interviewed on 27.3.1985.

Meurman, Otto-I., professor, Helsinki. Belonged to Saarinen's office staff in or about 1915. Interviewed on 24.11.1982 and 6.4.1985.

von Pfaler, Carl Gustaf, graduate engineer, Porvoo. Son of Anna (née Gesellius) von Pfaler. Acquaintance with Hvitträsk goes back to before 1920. Interviewed on 25.7.1984.

Rosenström, Mrs Märta, Lohja. Her parents lived at Hvitträsk towards the end of the 1910s. She herself was a maid at Hvitträsk at the start of the 1930s. Interviewed on 25.7.1984 and 26.4.1985.

Saarinen, Severi, (died 1983) honorary commercial counsellor, Helsinki. Was a private tutor of Saarinen's children at the end of the 1910s. Spent much time there otherwise. Interviewed on 8.5.1982.

Sandholm, Lars, gardener, Espoo. Born at Hvitträsk, lived in the smaller building 1930–44. Interviewed on 6.6.1985.

Åkerlund, Mrs Inger, Espoo. Has always lived near Hvitträsk and has been a visitor to the house since the end of the 1920s. Interviewed on 15.4.1985.

1. Saarisen suunnittelemat sisustusesineet saatiin vuoden 1969 huutokaupan jälkeen muutamaa poikkeusta lukuun ottamatta lunastetuksi takaisin. Ks. Hvittträskin kartanon irtaimiston konkurssihuutokaupan esineluettelo. Moniste 1969, SRM.
2. Valokuvat SRM ja MV.
3. Birger Anderssonin tiedonanto.
4. Evert Erikssonin tiedonanto.
5. Valmistui vuoden 1915 remontin aikana. Otto-I. Meurmanin tiedonanto.
6. Georg Forsmanin tiedonanto.
7. Valokuvat SRM ja MV.
8. Monissa huoneissa nykyään oleva värillinen säkkikangastapetti on peräisin vuosilta 1969–71. Marke Niskala-Luostarisen tiedonanto.
9. Märta Rosenströmin mukaan lastenhuoneen tapettina ja Anna-Liisa Hjeltin mukaan ylähallin tapettina oli luonnonväristä raavelikangasta.
10. Otto-I. Meurmanin mukaan eteisen kattokoristelu maalattiin vuoden 1915 remontin aikana. Lastenhuoneen katto- ja pylväsornamentiikka syntyi ilmeisesti 1908–09.
11. Esim. Vuorio, Anelma, 1971. Kaksikymmentä vuotta Hvittäskin tähden. Helsinki, s. 85, 105, 115–117.
12. Vielä paikoillaan olevien uunien kaakelit ovat samankokoisia ja samalla tavoin lasitettuja kuin Hvitträsk-säätiön omistamat kolmen puretun uunin kaakelit, joissa näkyy leimat.
13. Wilh. Andstenin tehdas-osakeyhtiö. Helsinki 1903. Yhdeksän uusista malleista oli käytössä jo v. 1901 valmistuneessa nk. Lääkärien talossa Fabianinkatu 17:ssä.
14. Wilh. Andstenin tehdas-osakeyhtiö, 1903, s. 13. Puretun uunin kaakelit ovat Hvitträsk-säätiön hallussa.
15. Tiiliuunien valmistukseen liittyvät tekniset kysymykset olivat ajankohtaisia muissakin suomalaisissa taiteilijahuviloissa Hvitträskin rakentamisen aikoihin. Emil Wikströmin, Eero Järnefeltin ja Pekka Halosen kirjeenvaihdosta käy ilmi, että he hankkivat tiilensä paikallisilta valmistajilta, mutta lasittivat ne itse 'tulenkestäviksi'. Ks. Järnefeltin kirjeet 5.9.1901 ja 28.3.1902 ja Pekka Halosen kirje 12.10.1901 Emil Wikströmille. Emil Wikströmin kirjekokoelmat, Helsingin Yliopiston kirjasto (HYK).
16. Näkyy valokuvassa SRM 84/376.
17. Näkyy valokuvassa SRM 84/376. Patteri on alkuaikoina joko ollut yhteydessä Gesselliuksen asunnon keskuslämmitykseen tai siihen on johdettu lämmintä ilmaa viereisestä kamiinasta.
18. Tämän käsityksen saa Hannes Saarisen postikortista Selma Saariselle 24.8.1906 sekä Loja Saarisen kirjeestä Selma Saariselle 6.7.1908. Sirkka Järnefelt, Mäntyharju.
19. Saarisen käyttämä nimitys kevytrakenteisesta tuolityypistä, jonka istuin on punottu. Vrt. Helsingin aseman hallintorakennuksen huonekalupiirustukset, rautatiehallitus.
20. Esim. Vuorio 1971, s. 84 ja 105 sekä konkurssihuutokaupan esineluettelo.
21. Saarisen yhteyttä Bomanin tehtaaseen ei ole ollut mahdollista selvittää kaikilta osiltaan. Tehdas vanhoine arkistoineen tuhoutui vuosien 1939 ja 1942 pommituksissa. Rva Annie Bomanin tiedonanto 25.5.1983.
22. Suur-Merijoen kartanon huonekalut Saarinen teetti Bomanin tehtaalla.
23. Yhteistyö alkoi Pariisin paviljongin Betula-kalustolla ja jatkui ainakin vuoteen 1904 saakka. SYKY:n vain osittain säilyneessä arkistossa ei kuitenkaan ole Hvitträskiin liittyvää materiaalia.
24. Ks. Hvitträskin ruokasalin ryijy. Lastenhuoneen ryijy on yksityisomistuksessa Suomessa. Saarisen öljyvärimaalauksessa kirjaston takkasyvennyksessä näkyy myös suuri penkkiryijy, jonka myöhemmästä kohtalosta ei ole tietoa. Lisäksi Cranbrook Academy of Art omistaa merkinnällä 'Hvitträsk 1920' varustetun ryijypiirustuksen, jonka aiheena on Suomen historia. Tämä suunnitelma ei luultavasti ole koskaan toteutunut.
25. Jotkut Saarisen Hvitträskiin teettämät tekstiilit voidaan tunnistaa lähinnä mitoituksen avulla SKY:n vuosien 1907–1914 työtilauskirjasta, joka on ainoa Saarisen ajalta säilynyt. SKY:n arkisto, Valtionarkisto.
26. Maininnat Hvitträskin tekstiileistä huonekohtaisesti on Loja Saarisen päiväämättömässä inventaariluettelossa, joka on laadittu todennäköisesti 1940-luvun lopulla. SRM. Samantapaisia luetteloita on jäljennetty myös Anelma Vuorion kirjaan sivuille 33–34 ja 37–38.
27. Carl Gustaf von Pfalerin tiedonanto.
28. Loja Saarisen inventaariluettelo.
29. Vaikka Loja Saarisen kirjeestä Rita ja Johannes Öhquistille 12.3.1926 (J. Öhquistin kokoelma, HYK) käy ilmi, että hän ja Pipsan kutoivat mm. ryijyjä

1. After the 1969 auction, the interior items designed by Saarinen were redeemed, with only a few exceptions. See the catalogue pertaining to the bankruptcy auction of movable items at Hvitträsk manor house. Photocopy 1969, MFA.
2. MFA and NBA photographs.
3. Recounted by Birger Andersson.
4. Recounted by Evert Eriksson.
5. Completed during the improvements made in 1915. Recounted by Otto-I. Meurman.
6. Recounted by Georg Forsman.
7. MFA and NBA photographs.
8. The hemp wall covering now to be seen in many of the rooms dates from 1969–71. Recounted by Marke Niskala-Luostarinen.
9. Undyed buckram cloth was used as wall covering in the children's room, according to Märta Rosenström, and in the upstairs hall too, according to Anna-Liisa Hjelt.
10. According to Otto-I. Meurman, the decorative ceiling in the hall was painted during the improvements made in 1915. The ceiling and pillar ornamentation in the children's room probably goes back to 1908–09.
11. For instance, Vuorio, Anelma, 1971. Kaksikymmentä vuotta Hvittäskin tähden. Helsinki, pp. 85, 105, 115–117.
12. The tiles of the remaining stoves are of a size with and glazed as the tiles on which a trademark is visible, taken from the three dismantled stoves in the possession of the Hvitträsk Foundation.
13. Wilh. Andstenin tehdas-osakeyhtiö. Helsinki 1903, catalogue. Nine of the new series of stoves functioned as early as 1901 at Fabianinkatu 17, otherwise known as the Doctors' House.
14. Wilh. Andstenin tehdas-osakeyhtiö, 1903, p.13. Tiles from the dismantled stove are in the possession of the Hvitträsk Foundation.
15. Technical matters concerning the manufacture of tiled stoves were of current interest in other Finnish villas built for artists at the same time as Hvitträsk was being built. Emil Wikström, Eero Järnefelt and Pekka Halonen show from their correspondence that they got tiles from local manufactures, and carried out the firing process themselves. See letters from Järnefelt 5.9.1901 and 28.3.1901 and Pekka Halonen 12.10.1901 to Emil Wikström. The Emil Wikström Collection, Helsinki University Library (HUL).
16. To be seen in photograph MFA 84/376.
17. To be seen in photograph MFA 84/376. The radiator was initially part of the central heating for the Gesellius home, or was warmed by a flow of air from the nearby iron stove.
18. This is to be concluded from a postcard from Hannes Saarinen to Selma Saarinen 24.8.1906 and from Loja Saarinen's letter to Selma Saarinen 6.7.1908. Sirkka Järnefelt, Mäntyharju.
19. A Riika chair was Saarinen's way of describing any lightweight chair with a woven seat. Compare with detail drawings of furniture for the administration building of Helsinki Railway Station, National Board of Railways.
20. For example Vuorio 1971, pp.84, 105; and inventory of the bankruptcy auction.
21. Details of Saarinen's dealings with the Boman factory were impossible to find. The factory and all its records were destroyed by bombing in 1939 and 1942. Recounted by Mrs Annie Boman on 25.5.1983.
22. Saarinen had the furniture for Suur-Merijoki manor house made at the Boman factory.
23. Their cooperation began with the Betula suite for the Paris pavilion, and continued until 1904 at least. Hvitträsk is not mentioned in the extant records of The Finnish General Handicraft Society (FGHS).
24. See the ryijy rug in the Hvitträsk dining room. The ryijy rug out of the children's room is privately owned in Finland. A large ryijy seat drape visible in Saarinen's oil painting of the library inglenook has not been traced. The Cranbrook Academy of Art owns a ryijy drawing on the theme of Finnish history, which is marked 'Hvitträsk 1920'. The design was apparently never executed.
25. Part of the textiles Saarinen had made for Hvitträsk may be identified to some extent by the dimensions given in the 1907–1914 orders book of The Friends of Finnish Handicraft (FFH), the only one to survive from Saarinen's day. FFH archives, National Archives.
26. Records of Hvitträsk textiles and their relevant rooms as contained in an undated inventory by Loja Saarinen, probably from the end of the 1940s, MFA. Comparable lists appear in Anelma Vuorio's book pp.33–34, 37–38.
27. Recounted by Carl Gustaf von Pfaler.
28. Inventory by Loja Saarinen.
29. Even if Loja Saarinen's letter to Rita and Johannes Öhquist 12.3.1936 (J.

Saaristen varhaisen Yhdysvaltain asunnon seinille, näyttää SKY:n työtilauskirjan perusteella siltä kuin suuritöiset nukkatekstiilit olisi teetetty siellä ja vain pientekstiilit kudottu Hvitträskissä.
30. Valokuvat SRM ja MV.
31. Vrt. Gallen-Kallelan Museon originaalikappale.
32. Eliel Saarisen akvarelli SRM 091/10.
33. Loja Saarisen inventaariluettelo.
34. Huonekalujen käsittely valkoisella kiiltäväpintaisella emalimaalilla yleistyi erityisesti makuuhuoneissa, lastenhuoneissa ja keittiöissä paitsi tyylikeinona myös hygieenisyysvaatimusten johdosta.
35. Maininta kirkkolampeteista on Loja Saarisen inventaariluettelossa.
36. Valokuva SRM 84/377. Lamppu vaikuttaa ruotsalaiseen patenttiin perustuvalta Lux-lampulta. Ks. Finska Lux Aktiebolaget, s.a. Helsingfors, s. 21. Selma Saarisen kirjeestä Hannes Saariselle (päiväämätön, kirjoitettu kuitenkin ennen vuotta 1914, Inkeri ja Kaarina Saarinen, Helsinki) käy ilmi, että Hvitträskissä oli Lux-lamppu pihavalaisimena.
37. Anna-Liisa Hjeltin mukaan Saarisen isä, joka kuoli 7.12.1920, ehti nähdä Hvitträskin saavan sähkövalon. Tämä tarkoittanee, että sähkön laatu parani ennen Juho Saarisen kuolemaa, sillä Anita Ehrnroothin kenraalimajuri Gustaf Ehrnroothilta saaman tiedon mukaan Hvitträskillä oli ollut vuodesta 1911 lähtien oma 'sähkölaitos' Mjölnarstrandin putouksessa 300–400 metrin päässä talosta. Sen tuottama sähkövalo oli kuitenkin ollut heikkoa ja lepattavaa. Voimalaitoksen idea ja tekniset tiedot olivat peräisin Espoon kartanon Ramsay-suvulta. Anita Ehrnroothin tiedonanto 16.1.1986.
38. Tällaisia varjostimia on edelleen Hvitträsk-säätiön hallussa. Loja Saarinen mainitsee sellaiset kirjeessään Rita ja Johannes Öhquistille 12.3.1926. HYK.
39. Tässä käytetyt huoneiden nimitykset ovat suurimmaksi osaksi suomennoksia Loja Saarisen inventaariluettelossa käyttämistä ruotsinkielisistä termeistä. Muutamat johtuvat huoneen käyttötarkoituksesta Saaristen Suomen ajan loppuvaiheessa.
40. Rakennuksen sovittaminen maaston muotoihin aiheutti ilmeisesti pulmia joidenkin huoneiden asemassa ilmansuuntiin nähden.
41. Näkyy Hvitträskin leikkauspiirustuksessa. Ei tiedetä, toteutuiko tällainen uuni koskaan. Eteisessä nyt oleva uuni on Otto-I. Meurmanin mukaan muurattu vuonna 1915 muutostöiden yhteydessä.
42. Gösta Serlachiuksen Taidesäätiön Ehrström-kokoelmat suljettiin museon ulkopuolisilta tutkijoilta vuonna 1983, mistä syystä sekä Eric O. W. Ehrströmin että Olga Gummerus-Ehrströmin osuudet Gesellius, Lindgren, Saarinen toimiston avustajina ovat jääneet tarkempaa selvitystä vaille.
43. Kaikki Saarisen asunnon rautataonnaiset ovat kuitenkin Birger Anderssonin mukaan Saarisen piirtämiä.
44. Sohva on rakennettu uudelleen Marke Niskala-Luostarisen piirustusten mukaan. Kolme erilaista korituolia on edelleen Hvitträsk-säätiön omistuksessa.
45. Pöytä on rakennettu uudelleen. Marke Niskala-Luostarisen tiedonanto.
46. Tällä paikalla nykyään olevat tuolit ovat Marke Niskala-Luostarisen mukaan Vuorioiden 1950-luvulla hankkimia eivätkä siis ole kuuluneet Saarisen asuntoon. Neljä muuta samaan kokonaisuuteen kuulunutta Vuorioiden hankkimaa tuolia on muissa huoneissa. Wigwam-tuolit näkyvät kuvassa SRM 84/1257.
47. Ks. Haenel, Erich & Tscharmann, Heinrich, 1908. Die Wohnung der Neuzeit. Leipzig, kuva s. 182.
48. Piirustukset valmistuivat alkuvuodesta 1902 (ks. viite 50). On varsin todennäköistä, että Saarinen on halunnut tuoreeltaan valmistuttaa kaluston prototyypin itselleen.
49. Haenel & Tscharmann 1908, s. 182. Myös Loja Saarisen kirjeestä Rita ja Johannes Öhquistille 31.1.1927 (HYK) käy ilmi, että piharakennuksen olohuone oli jäänyt tyhjilleen.
50. V. P. [Vilho Penttilä], 1902. "Suomen Yleisen Käsiteollisuusyhdistyksen huonekalukilpailu". Kotitaide (A) II/1902, s. 22 ja erikoisliite V.
51. Vuoden 1902 lokakuussa kalusto oli SYKY:n arpajaisten päävoittona. "Finlands Allmänna Slöjdförening". Hufvudstadsbladet 7.10.1902.
52. Valokuva kalustosta on julkaistu ensimmäisen kerran Die Kunst -lehden helmikuun numerossa 1907, s. 187. Tyylillisesti kalusto liittyy Saarisen hieman varhaisempiin töihin, kuten esim. Sortavalan KOP:n pankinjohtajan asunnon sisustuksiin vuodelta 1905. Toisaalta Hvitträsk oli elokuussa 1906 kunnostustöiden alaisena: Hannes Saarisen kortissa Selma Saariselle 24.8.1906 (Sirkka Järnefelt, Mäntyharju) esiintyvä viittaus kunnostustöihin saattaa koskea tupaakin.
53. Kaappi on rakennettu uudelleen Marke Niskala-Luostarisen piirustusten mukaan.
54. Näihin aikoihin vanha penkki vaihdettiin uuteen, jonka koristelu on saman-

Öhquist Collection, HUL) shows that she and Pipsan wove ryijy rugs for the walls of their first home in the United States, to judge from the FFH order book, tufted rugs requiring much labour were made to order by them; it seems that only the smaller textiles were woven at Hvitträsk.
30. MFA and NBA photographs.
31. Compare the original in the Gallen-Kallela Museum.
32. Water colour by Eliel Saarinen, MFA 091/10.
33. Inventory by Loja Saarinen.
34. The treatment of furniture with white enamel paint became general, in the bedrooms, children's rooms and kitchen especially, not only for its stylistic appeal but also for hygienic reasons.
35. The church sconces are listed in Loja Saarinen's inventory.
36. MFA photograph 84/377. The lamp resembles the Lux lamp produced under a Swedish patent. See Finska Lux Aktiebolaget, s.a. Helsingfors, p.21. An undated letter, written before 1914, from Selma Saarinen to Hannes Saarinen tells that there was a Lux lamp in the Hvitträsk courtyard. Inkeri and Kaarina Saarinen, Helsinki.
37. According to Anna-Liisa Hjelt, Saarinen's father who died on 7.12.1920 lived to see Hvitträsk supplied with electric light. The standard of lighting may have improved before Juho Saarinen's death since, based on facts given to Anita Ehrnrooth by Major-General Gustaf Ehrnrooth, Hvitträsk, in 1911, had acquired its own 'electric power plant' at the Mjölnarstrand falls, a distance of 300–400 metres from the house. The electric light produced, however, was poor and intermittent. The idea of a power station and the necessary technical information came from a family named Ramsay, living in Espoo manor house. Recounted by Anita Ehrnrooth on 16.1.1986.
38. Lampshades of this design are still in the possession of the Hvitträsk Foundation. Loja Saarinen refers to them in a letter of 12.3.1926 to Rita and Johannes Öhquist. HUL.
39. The terms used to indicate the rooms are for the most part translated from the inventory written in Swedish by Loja Saarinen. Some derive from the function of the room towards the end of the Saarinen's period in Finland.
40. Accommodating the building to the site contours led to difficulties in the orientation of some rooms.
41. Visible in section drawings of Hvitträsk. It is not known if such a stove was ever built. According to Otto-I. Meurman, the stove now in the entrance hall dates from the 1915 alterations.
42. The Ehrström collection, part of the Gösta Serlachius Art Foundation, became inaccessible in 1983 to researchers not employed by the museum. Consequently, the role of Eric O.W.Ehrström and Olga Gummerus-Ehrström in the work of the Gesellius, Lindgren and Saarinen office must remain a matter of conjecture.
43. According to Birger Andersson, all the wrought ironwork in Saarinen's home is from drawings prepared by Saarinen himself.
44. The sofa has been rebuilt after drawings by Marke Niskala-Luostarinen. There are still three cane chairs of varying designs in the possession of the Hvitträsk Foundation.
45. The table has been rebuilt. Recounted by Marke Niskala-Luostarinen.
46. The chairs now in the room, according to Marke Niskala-Luostarinen, were acquired by the Vuorios in the 1950s and had not belonged to the Saarinen's home. There are four other chairs of this suite elsewhere in the house. The Wigwam chair can be seen in MFA photograph 84/1257.
47. See Haenel, Erich and Tscharmann, Heinrich, 1908. Die Wohnung der Neuzeit. Leipzig, illustration, p. 182.
48. The drawings were finished in the early part of 1902 (see ref. 50). It is very probable that Saarinen wanted to have a prototype of the suite made immediately for his own use.
49. Haenel & Tscharmann 1908, p.182. Loja Saarinen's letter of 31.1.1927 to Rita and Johannes Öhquist (HUL) indicates that the living room in the smaller building remained empty.
50. V.P. [Vilho Penttilä], 1902. "Suomen Yleisen Käsiteollisuusyhdistyksen huonekilpailu". Kotitaide (A) II/1902, p.22 and appendix V.
51. The suite was first prize in the Finnish General Handicraft Society's lottery held in October 1902. "Finlands Allmänna Slöjdförening". Hufvudstadsbladet 7.10.1902.
52. A photograph of the suite was first published in the February edition of Die Kunst in 1907, p.187. The suite is stylistically akin to work drawn a little earlier by Saarinen, e.g. furniture for the manager's room of the Kansallis-Osake-Pankki Bank at Sortavala, built in 1905. Further proof is evident from the fact that renovation work was being done at Hvitträsk in August 1906. The contents of a postcard

tyylinen kuin muiden kalusteiden. Marke Niskala-Luostarisen mukaan sohva on rakennettu uudelleen 1969–71.
55. Anna-Liisa Hjeltin tiedonanto. Nahkaverhoilu on vuosilta 1969–71. Marke Niskala-Luostarisen tiedonanto.
56. Loja Saarisen inventaariluettelo.
57. Vuorio 1971, s. 37.
58. Nykyinen matto saattaa olla alkuperäinen. Ks. kuitenkin myös Vuorio 1971, s. 98–99.
59. Valokuvat SRM 84/379 ja 84/223.
60. Vikman, Rita, 1928. "Eräs koti". Suomen Kuvalehti 28/1928, s. 1215.
61. Marke Niskala-Luostarisen tiedonanto.
62. Aitaus on rakennettu uudelleen Marke Niskala-Luostarisen piirustusten mukaan. Aitauksen pylväänpään veistos on pronssivalos Loja Saarisen kipsiveistoksesta, joka toteutettiin puisena Suur-Merijoen kartanoon.
63. Anna-Liisa Hjeltin tiedonanto.
64. Teoksessa vuosiluvut 1904–05.
65. Vikman 1928, s. 1215. Maalauksia on totuttu pitämään Akseli Gallen-Kallelan tekeminä. Hän ei tiettävästi kuitenkaan toiminut Gesellius, Lindgren, Saarisen toimiston avustajana päinvastoin kuin Blomstedt, joka osallistui ainakin Hvittorpin ja Suur-Merijoen koristelutöihin.
66. Pöydän rakenteen voi aavistaa valokuvasta SRM 84/2308.
67. Tyylillisesti kalusto liittyy Saarisen molempiin palkittuihin SYKY:n vuoden 1902 huonekalukilpailun ehdotuksiin (II palkinnon saanut Wigwam sekä lunastettu Pataässä). Mahdollisesti tämäkin kalusto on valmistettu SYKY:n puuseppäin ammattikoulussa.
68. Konservaattori Kaija Heikkanen on suorittanut Hvitträskin huonekalujen pintakäsittelyn analyyseja 24.–25.4.1985. Hänen mukaansa on ruokasalin ensimmäisten tuolien alin kerros pinnan varauksin todennettavissa lakkaukseksi tai vahaukseksi. Sen päältä löytyy tiilenpunainen, musta, vaaleanvihreä, ultramariininsininen, harmaa ja musta maalikerros. Kalusto siirrettiin myöhemmin piharakennuksen asunnon ruokasaliin. Ks. Loja Saarisen kirje Rita ja Johannes Öhquistille 31.1.1927. HYK. Tuolit, joista on teetetty kopioita, ovat nykyään ateljeessa. Pöytä sekä kalustoon mahdollisesti kuulunut astiakaappi (mainittu em. kirjeessä) ovat kadonneet.
69. Huonekaluja näkyy jo Saarisen tekemissä Hvitträskin leikkauspiirustuksissa. Vanhin huonekalukerrostuma on kuitenkin valmistettu vuosina 1903–04.
70. Valokuva SRM 84/378.
71. Birger Anderssonin mukaan sohva on rakennettu uudelleen 1950-luvulla.
72. Eliel Saarisen ryijypiirustus SRM:n originaaliarkisto 095/11. SKY:n työtilauskirjasta 1907–14 löytyy 28.10.1914 päivätty "Eliel Saarisen oman mallin mukaan tehtävän" kymmenen neliön suuruisen penkkiryijyn tilaus.
73. Vikman 1928, s. 1215.
74. Valokuvat SRM. Nykyinen lamppu on rekonstruktio. Marke Niskala-Luostarisen tiedonanto.
75. Loja Saarisen inventaariluettelossa lampettien sanotaan olevan Pipsanin — ehkäpä ne olivat 10-vuotislahja isältä tyttärelle v. 1915.
76. Valokuvat SRM 84/355 ja 84/379. Saman seinän vierustalla olevan kaapin alkuperä on tuntematon. Se ei näy Saarisen ajan valokuvissa eikä liity tyylipiirteiltään kumpaankaan ruokasalin kalustoista.
77. Keittäjän tai taloudenhoitajan huone lienee sijainnut alun perin eteisen jatkeena pääovea vastapäätä (Vuorio 1971, s. 104), mutta eteisen muutoksen jälkeen keittäjä/taloudenhoitaja asui keittiön ja ateljeen välissä olevassa pienessä huoneessa (Inger Åkerlundin ja Märta Rosenströmin tiedonannot). Eteisen jatkeena ollut huone näkyy leikkauspiirustuksissa kirjoituspöydällä, takalla ja kiinteällä penkillä kalustettuna. Kummankaan huoneen toteutuneesta sisustuksesta ei kuitenkaan ole tietoa.
78. Hella oli jäljellä vielä Vuorioiden aikana. Valokuva MV neg. 9531. Se purettiin 1969–71. Ks. Marke Niskala-Luostarisen piirustukset.
79. Inger Åkerlundin ja Georg Forsmanin tiedonannot. Ks. myös leikkauspiirustukset.
80. Suuri määrä tarkemmin tunnistamattomia keittiökalusteita on edelleen Hvitträsk-säätiön omistuksessa.
81. Georg Forsmanin tiedonanto.
82. Inger Åkerlundin tiedonanto.
83. Sama.
84. Tiskikeittiötä on kuvaillut Georg Forsman. Se purettiin jo Vuorioiden aikana. Tiskikeittiötä suosittiin vuosisadan vaihteessa erityisesti Englannissa. Ks. Baillie Scott, M. H., 1906. Houses and Gardens. London, s. 27 ja The Studio Vol. IV, s. 128, XII, s. 169 ja XIX, s. 32.

dated 24.8.1906 from Hannes Saarinen to Selma Saarinen infer that the renovation may have included the living room also. Sirkka Järnefelt, Mäntyharju.
53. The bookcase was restored after drawings by Marke Niskala-Luostarinen.
54. At about this time, the original seat was replaced by another with the same ornamental motif as the remaining furniture in the room. The sofa was rebuilt between 1969–71, according to Marke Niskala-Luostarinen.
55. Recounted by Anna-Liisa Hjelt. The upholstery in leather dates from 1969–71. Recounted by Marke Niskala-Luostarinen.
56. Inventory by Loja Saarinen.
57. Vuorio 1971, p.37.
58. The present rug may be original. See also Vuorio 1971, pp.98–99.
59. MFA photographs 84/223 and 84/379.
60. Vikman, Rita, 1928. "Eräs koti". Suomen Kuvalehti 28/1928, p.1215.
61. Recounted by Marke Niskala-Luostarinen.
62. The restoration of the balustrade is after drawings by Marke Niskala-Luostarinen. The newel post is surmounted by a bronze casting after the plaster cast by Loja Saarinen, which was executed in wood for the Suur-Merijoki manor house.
63. Recounted by Anna-Liisa Hjelt. ·
64. The work bears the date 1904–05.
65. Vikman 1928, p. 1215. The paintings are usually believed to be Akseli Gallen-Kallela's work. However her never acted as an assistant in the Gesellius, Lindgren and Saarinen office as did Blomstedt, who at least took part in the decorative design of Hvittorp and Suur-Merijoki.
66. The structure of the table may be guessed from MFA photograph 84/2308.
67. The suite is stylistically related to both of Saarinen's prize-winning entries (Wigwam, second prize, and Pataässä, purchase) for the 1902 FGHS furniture design competition. The suite in question may also have been produced at the FGHS vocational carpentry school.
68. Kaija Heikkanen, a conservator, made an analysis of surface treatments of the furniture at Hvitträsk on 24.–25.4.1985. According to her, the innermost layer on the original dining room chairs is almost certainly a varnish or polished finish. Additional layers of brick red, black, light green, ultramarine blue, grey and black paint have been added. The suite was transferred to the dining room of the smaller building later. See Loja Saarinen's letter of 31.1.1927 to Rita and Johannes Öhquist, HUL. The chairs, copies of which were made, now stand in the studio. A table and a sideboard (mentioned in the above letter) possibly belonging to the same suite, have never been traced.
69. Furniture is included in the section drawings of Hvitträsk by Saarinen but the oldest furniture dates back to not earlier than 1903–04.
70. MFA photograph 84/378.
71. According to Birger Andersson, the sofa was rebuilt in the 1950s.
72. Ryijy rug design by Eliel Saarinen MFA, originals archive 095/11. The FFH order book covering the period 1907–14 has an entry for 28.10.1914: a ryijy seat drape ten square metres in size 'after the design of Eliel Saarinen'.
73. Vikman 1928, p.1215.
74. MFA photographs. Today's light fitting is a reconstruction. Recounted by Marke Niskala-Luostarinen.
75. According to Loja Saarinen's inventory, the sconces belonged to Pipsan and may have been a tenth birthday present from father to daughter in 1915.
76. MFA photographs 84/355 and 84/379. The origin of the cabinet standing against this wall is not known. It does not appear in photographs from Saarinen's day and does not bear any stylistic resemblance to either of the dining room suites.
77. The housekeeper's (or cook's) room may originally have been opposite the entrance door, as an extension of the hall (Vuorio 1971, p.104). After the hall was altered, the housekeeper/cook occupied the small room between the kitchen and the studio (recounted by Inger Åkerlund and Märta Rosenström). The room that was an extension of the hall is seen in the section drawings, and was furnished with a writing table, fireplace and some built-in seating. It is not known if either room ever contained any of this furniture.
78. The stove was still functioning while the Vuorios lived there. NBA photograph neg. 9531. It was dismantled between 1969–71. See the drawings by Marke Niskala-Luostarinen.
79. Recounted by Inger Åkerlund and Georg Forsman.
80. Much of the unidentified kitchen furniture is still in the possession of the Hvitträsk Foundation.
81. Recounted by Georg Forsman.
82. Recounted by Inger Åkerlund.
83. Do.
84. The scullery is described by Georg Forsman. It was demolished while the Vuo-

85. Kaappi oli jäljellä vielä Vuorioiden aikana, mutta purettiin 1969–71. Ks. Marke Niskala-Luostarisen piirustukset.
86. Väliseinä näkyy valokuvissa SRM ja MV. Loja Saarinen viittaa ateljeen remonttiin kirjeessään Selma Saariselle 6.7.1908. Sirkka Järnefelt, Mäntyharju.
87. Esim. valokuva SRM 07/223. Georg Forsman on nähnyt biljardipöydän ateljeessa vielä 1950-luvun alussa — nyttemmin se on tietymättömissä.
88. Kirjaston keltainen tiilitakka siirrettiin 1950-luvulla toimiston pohjoisseinän sohvasyvennykseen. Vuorio 1971, s. 85. Vuosina 1969–71 kirjaston takka rakennettiin uudelleen alkuperäisen kaltaiseksi. Marke Niskala-Luostarisen tiedonanto.
89. Kaakeliuuni siirrettiin 1950-luvulla ateljeen etuosaan rautakamiinan paikalle. Vuorio 1971, s. 85. Vuosina 1969–71 puretun uunin kaakelit ovat Hvitträsksäätiön hallussa.
90. Esim. Vuorio 1971, s. 104 ja valokuvat SRM.
91. Toisen pöydistä on mahdollisesti piirtänyt Evert Invenius. Kivinen, Paula, 1964. ''Tamperelainen huonekalutaiteilija. Puuseppämestari Evert Inveniuksen piirustuksia silmäilyä''. Tammerkoski 3/1964, s. 70–71. Marke Niskala-Luostarisen mukaan ateljeen vanhoja pöytiä korjailtiin ja niiden mukaan rakennettiin uusia. Marke Niskala-Luostarisen pöytäpiirustukset 20.4.1970.
92. Nykyinen kaappi lienee uudelleen rakennettu. Osia alkuperäisestä kaapista on Hvitträsk-säätiön hallussa.
93. Valokuvat SRM 84/376 ja 07/51. Pari tuolia on yksityisomistuksessa, kaappi Hvitträskin pohjoissiiven kellarissa. Samanlaisia nojatuoleja oli Gesselliuksen olohuoneessa.
94. Saarinen suunnitteli kirjoituspöydän tuoleineen Suomen Taideteollisuusyhdistyksen arpajaisvoitoksi, ja se valmistui 29.5.1907 mennessä. Konstflitföreningen i Finland. Redogörelse för år 1906. Helsingfors 1908, s. 34. Kirjoituspöydän on entistänyt Antti Evävaara kesällä 1984.
95. Näkyy Eliel Saarisen signeeraamattomassa öljyvärimaalauksessa, joka on yksityisomistuksessa. Vrt. viite 24.
96. Valokuva SRM 84/370.
97. Valokuva SRM 84/376. Ainakin sen jälkeen kun pohjoissiipi oli rakennettu uudelleen oli ateljeen patteri yhteydessä sen keskuslämmitykseen. Georg Forsmanin ja Lars Sandholmin tiedonannot.
98. Makuuhuoneen, kylpyhuoneen ja tuuletusparvekkeen yhdistämisestä toisiinsa, ks. Stavenow-Hidemark, Elisabeth, 1970. Villabebyggelse i Sverige 1900–1925. Stockholm, s. 192. Huomaa myös, että makuuhuone on vain nukkumista varten ja sen vieressä on sijoitettu oleskeluhuone (= kukkahuone tai aamiaishuone).
99. Anelma Vuorio kertoo kirjassaan s. 121 irrottaneensa, pesseensä ja kiinnittäneensä takaisin paikalleen Saarisen aikaiset makuuhuoneen kangastapetit. Ruohotapetithan eivät olisi kestäneet tällaista käsittelyä.
100. Konservaattori Kaija Hiekkasen analyysissa näidenkin huonekalujen alin pintakäsittely jäi hieman epävarmaksi. Mikäli kyseessä on ollut lakkaus, on se poistettu ennen maalausta. Lakkaus vaikuttaa todennäköiseltä alkuperäiseltä käsittelyltä, sillä emalivärin käyttö näyttää yleistyvän Saarisella vasta lähempänä vuotta 1910.
101. Konservaattori Kaija Hiekkasen analysoiman vaatekaapin ensimmäisenä pintana on ollut lakka, kuitenkin samoin varauksin kuin muissa makuuhuoneen kalusteissa. Vaalea maali on ehkä tullut kaikkiin nykyisiin huonekaluihin samanaikaisesti.
102. Esim. Loja Saarisen kirje Rita ja Johannes Öhquistille 31.1.1927. HYK.
103. Loja Saarisen inventaariluettelo.
104. Allasmaisen ammeen muistavat Carl Gustaf von Pfaler, Severi Saarinen ja Anna-Liisa Hjelt. Ks. valokuva orig. Ronald Saarinen Swanson, USA.
105. Suur-Merijoen kylpyhuoneen toteutumaton ehdotus SRM 85/1151. Saarisen Suomen aikana tällainen amme valmistui ainakin Marmoripalatsiin. Varatuomari Anna-Maija Silvolan tiedonanto 8.5.1985.
106. Loja Saarinen mainitsee kirjeessään 24.5.1935 Rita ja Johannes Öhquistille (HYK) pyytäneensä Eeroa hankkimaan Hvitträskin päärakennukseen uuden kylpyamméen. Hvitträsk-säätiön hallussa on yksi vanha amme.
107. Vuorio 1971, s. 103.
108. Vuorio 1971, s. 115.
109. Georg Forsmanin mukaan pesualtaisiin ei tehty muutoksia Vuorioiden ostettua talon.
110. Veden saannista Hvitträskiin 1910-luvun lopulla on kertonut Georg Forsman.
111. Valokuva SRM 84/381 ruusukamarin sisustuksesta. Vasta v. 1938 lastenhuoneeseen ja yhteen vierashuoneista oli tarkoitus asentaa vesijohdollinen pesu-

rios lived there. Sculleries were in vogue at the turn of the century, particularly in England. See Baillie Scott, M.H., 1906. Houses and Gardens. London, p.27 and The Studio, Vol.IV, p.128, XII, p.169 and XIX, p.32.
85. The dresser was still in use while the Vuorios lived there but it was removed between 1969–71. See the drawings by Marke Niskala-Luostarinen.
86. The partition is discernible in MFA and NBA photographs. Loja Saarinen refers to the studio alterations in her letter dated 6.7.1908 to Selma Saarinen. Sirkka Järnefelt, Mäntyharju.
87. For example MFA photograph 07/223. Georg Forsman recollects a billiard table in the studio at the start of the 1950s. Its present whereabouts are unknown.
88. The yellow-brick fireplace from the library was moved to the inglenook at the north end of the studio in the 1950s. Vuorio 1971, p.85. The library fireplace was rebuilt in its original form between 1969–71. Recounted by Marke Niskala-Luostarinen.
89. The glazed tile stove was moved in the 1950s to where the iron stove stood at the near end of the studio. Vuorio 1971, p.85. The glazed tiles from the stove dismantled between 1969–71 are in the possession of the Hvitträsk Foundation.
90. Vuorio 1971, p.104 and MFA photographs.
91. Evert Invenius may have drawn one of the tables. Kivinen, Paula, 1964. ''Tamperelainen huonekalutaiteilija. Puuseppämestari Evert Inveniuksen piirustusten silmäilyä''. Tammerkoski 3/1964, pp.70–71. According to Marke Niskala-Luostarinen, the original studio tables were repaired and new ones built to the same design. Detail drawings of tables by Marke Niskala-Luostarinen, dated 20.4.1970.
92. The present drawing chest is probably restored. Parts of the original unit are in the possession of the Hvitträsk Foundation.
93. MFA photographs 07/51 and 84/376. Two of the chairs are in private hands, the cabinet is in the basement of the north wing at Hvitträsk. There were identical chairs in the Gesellius' living room.
94. Saarinen designed his writing desk and chair as the prize for a lottery arranged by the Finnish Society of Crafts and Design, and it was built by 29.5.1907. Konstflitföreningen i Finland. Redogörelse för år 1906. Helsingfors 1908, p.34. The writing desk was restored in summer 1984 by Antti Evävaara.
95. Can be seen in an unsigned oil painting by Eliel Saarinen, which is in private hands. Compare reference 24.
96. MFA photograph 84/370.
97. MFA photograph 84/376. The radiator became part of the central heating system installed after the reconstruction of the north wing. Recounted by Georg Forsman and Lars Sandholm.
98. About ways of linking the bedroom, bathroom, and airing balcony, see Stavenow-Hidemark, Elisabeth, 1970. Villabebyggelse i Sverige 1900–1925. Stockholm, p. 192. Note also that the bedroom is only for sleeping and that there is an adjacent morning room, i.e. flower or breakfast room.
99. Anelma Vuorio recounts in her book (p. 121) that she removed, washed and repasted the textile wall covering from the bedroom of Saarinen's day. Natural fibre coverings would not have withstood such treatment.
100. In the analysis made by Kaija Hiekkanen, conservator, the treatment of the undersurface of these furniture items too was a matter of doubt. If it was a varnish, then the varnish was removed before painting. The original finish would appear to have been a varnish because the use of enamel only became customary for Saarinen about the year 1910.
101. In the analysis made by Kaija Hiekkanen, conservator, the wardrobe was probably varnished, and this only with the same degree of certainty as for the rest of the bedroom furniture. All the present furniture may have been given a coat of light-coloured paint at the one time.
102. For instance, Loja Saarinen's letter of 31.1.1927 to Rita and Johannes Öhquist, HUL.
103. Inventory by Loja Saarinen.
104. Carl Gustaf von Pfaler, Severi Saarinen and Anna-Liisa Hjelt recollect seeing a sunken bath. Original photograph belonging to Ronald Saarinen Swanson, USA.
105. Unexecuted proposal for the bathroom of Suur-Merijoki manor house MFA 85/1151. In Saarinen's time, such a bath was built in Marmoripalatsi, otherwise known as Keirkner Villa. Recounted by Anna-Maija Silvola, LLM, on 8.5.1985.
106. Loja Saarinen mentions in her letter of 24.5.1935 to Rita and Johannes Öhquist (HUL) that she asked Eero to have a new bath installed in the main building at Hvitträsk. The Hvitträsk Foundation has one earlier bath in its possession.
107. Vuorio 1971, p.103.
108. Vuorio 1971, p.115.
109. According to Georg Forsman, the handbasins were not altered in any way after the arrival of the Vuorios.

paikka. Loja Saarisen kirje Arthur Sandholmille 17.3.1938. Lars Sandholm, Kirkkonummi.
112. Vikman 1928, s. 1215.
113. MV neg. 89477. Toinen tuoleista on edelleen Hvitträsk-säätiön hallussa.
114. Vaikuttaa siltä kuin museoviraston Alfred Nybom -kokoelman valokuvat Saarisen asunnon kukkahuoneesta korituoleilla kalustettuna ja biljardihuoneesta olisivat samalta ajalta — biljardia pelaamassa noin v. 1912 Hvitträskiin tullut Frans Nyberg.
115. Tällaisen puretun uunin kaakelit ovat Hvitträsk-säätiön omistuksessa.
116. Lasten huoneet on järjestetty samalla tavoin nukkumis- ja oleskelutiloiksi kuin vanhempien huoneet.
117. Lastenhoitaja on kuitenkin nukkunut lasten kanssa ainakin Eeron ollessa aivan pieni. Märta Rosenström on kuullut tämän äidiltään, joka oli Hvitträskissä lastenhoitajana. Lastenhoitajan/kotiopettajan huoneen sisustuksesta ei ole tietoa. Purettu Andstenin uuni n:o 10 on ehkä ollut täällä. Huoneen tilalle rakennettiin Vuorioiden aikana kaksi kylpyhuonetta. Vuorio 1971, s. 116.
118. Huonekalut ovat yksityisomistuksessa.
119. Tällaisena huoneen muistavat Anna-Liisa Hjelt, Märta Rosenström sekä Carl Gustaf von Pfaler.
120. Georg Forsmanin tiedonanto.
121. Kuva huoneesta on julkaistu ensimmäisen kerran Moderne Bauformen -lehdessä 8/1909, s. 353. Ks. kuitenkin viite 126 ryijyn ajoituksesta.
122. Vuorio 1971, s. 116. Uuni purettiin 1969–71. Uuden uunin piirustukset Marke Niskala-Luostarinen. Puretun sinisen uunin kaakelit ovat Hvitträsk-säätiön omistuksessa.
123. Vrt. ruokasalin freskokoristelu.
124. Kaappien päätyjä lienee käytetty nykyisen vaatekaapin ovien rakennusaineena, mahdollisesti jo Saaristen (Yhdysvaltain) aikana.
125. Tuolit, pikkupöytä ja kaapit ovat kadonneet. Yöpöydät ja keskikokoinen työpöytä on valmistettu 1969–71. Marke Niskala-Luostarisen tiedonanto.
126. Ryijy on yksityisomistuksessa. Ryijy, jonka mitoitus on sama kuin lastenhuoneen ryijyn, on tilattu SKY:stä 17.12.1908. SKY:n työtilauskirja 1907–14.
127. Keltaseinäisenä sen muistaa Georg Forsman. Loja Saarisen inventaariluettelon 'långa gula rummet' tarkoittaa tätä huonetta sen jälkeen kun lastenhuoneen alkuperäiset sisustusesineet oli lahjoitettu pois (huonekalut 1930–40-lukujen taitteessa, ryijy 1946).
128. Termi on ruotsalaisen Ellen Keyn, joka osaltaan vaikutti siihen, että lapset alettiin ottaa huomioon uudella tavalla myös käytännön tasolla kodinsisustuksessa. Keyn Barnets århundrade vuodelta 1900 löytyy Hvitträskin kirjastosta.
129. Kiinteät sisustukset ikkunan edessä, kirjahylly ja korkeaselustainen tuoli ovat Marke Niskala-Luostarisen piirtämät. Niskala-Luostarisen mukaan kaappi ja kirjoituspöytä on valmistettu 1960-luvulla ja pöytä on ollut talossa jo aikaisemmin.
130. Marke Niskala-Luostarisen piirustukset. Märta Rosenström, joka asui huoneessa, muistaa sen yleissävyltään tummana.
131. Komuuti on kadonnut, mutta muut huonekalut ovat jäljellä.
132. Anna-Liisa Hjeltin mukaan se oli lähempänä ikkunaa, vastakkaisen seinän vierustalla. Se näkyy myös valokuvassa om. Inkeri ja Kaarina Saarinen. Ikkunan edessä olevan sohvan on piirtänyt Marke Niskala-Luostarinen.
133. Näitä ovat tuolin puisen istuimen rakenne sekä leveä, voimakkaasti kaartuva nojalauta.
134. Nimitys esiintyy Loja Saarisen inventaariluettelossa.
135. Anita Ehrnroothin tiedonanto.
136. Vuonna 1903 ensi kerran esiin tuotu havainto Saarisen interiööritaiteen yhteydestä englantilaisen M. H. Baillie Scottin tuotantoon osoittautuu vakuuttavalla tavalla oikeaksi verrattaessa Hvitträskin sisustusratkaisuja Baillie Scottin kirjoituksiin ja akvarellijäljennöksiin The Studio -lehdessä 1893–1901. Lehti löytyy Hvitträskin kirjastosta.

110. The description of the water supply system operating in Hvitträsk just before 1920 was given by Georg Forsman.
111. MFA photograph 84/381 of the interior of the rose room. Only in 1938 did the matter arise of supplying running water to the children's room and one of the guest rooms. Loja Saarinen's letter of 17.3.1938 to Arthur Sandholm. Lars Sandholm, Kirkkonummi.
112. Vikman 1928, p.1215.
113. NBA neg. 89477. One of the chairs is still in the possession of the Hvitträsk Foundation.
114. It appears that the photographs in the Alfred Nybom Collection (NBA) featuring the flower room furnished with cane chairs and the billiard room of Saarinen's home belong to the same period. The billiard player is Frans Nyberg, who came to Hvitträsk about 1912.
115. Glazed tiles from such a dismantled stove are in the possession of the Hvitträsk Foundation.
116. The children's rooms were arranged in the same manner as the parents' rooms, one for sleeping and the other for recreation.
117. The nurse slept in the same room as the children, at least while Eero was very small. Märta Rosenström heard tell of this from her mother, who was a nurse at Hvitträsk. Nothing is known about the interior of the nurse/private tutor's room. It may have contained the dismantled Andsten No.10 stove. While the Vuorios lived there, two bathrooms were built in place of this room. Vuorio 1971, p.116.
118. This furniture is in private hands.
119. The room is recalled in this way by Anna-Liisa Hjelt, Märta Rosenström and Carl Gustaf von Pfaler.
120. Recounted by Georg Forsman.
121. A picture of the room was first published in Moderne Bauformen 8/1909, p.353. See also reference 126 concerning the dating of the ryijy rug.
122. Vuorio 1971, p.116. The stove was dismantled between 1969–71. Marke Niskala-Luostarinen designed the new stove. Blue glazed tiles from the dismantled stove are in the possession of the Hvitträsk Foundation.
123. Compare the mural decoration of the dining room.
124. The wardrobe doors now to be seen may have been made by using the end sections of the original wardrobes, perhaps while the Saarinens still spent summers in Finland.
125. There is no trace of the chairs, small table and wardrobes. The night table and medium-sized desk date from between 1969–71. Recounted by Marke Niskala-Luostarinen.
126. The ryijy rug is in private hands. A ryijy rug of similar dimensions was commissioned from The Friends of Finnish Handicraft on 17.12.1908. FFH order book for the years 1907–14.
127. Georg Forsman recollects that the room had yellow walls. The 'long yellow room' of Loja Saarinen's inventory describes it after the items in the children's room had been given away (the room furniture at the end of the 1930s, the ryijy rug in 1946).
128. The term was coined by Ellen Key, a Swede, who sought to have children and child behaviour regarded in a new light in the practical design of home interiors. The 1900 edition of Barnets århundrade by Key is among the books on the shelves of Hvitträsk library.
129. The built-in furniture in front of the window, the bookshelf and the high-backed chair are designed by Marke Niskala-Luostarinen. The cabinet and writing desk were produced in the 1960s, the table had been in the house from an earlier date. Recounted by Marke Niskala-Luostarinen.
130. Drawings by Marke Niskala-Luostarinen. Märta Rosenström, who occupied the room recalls it as being dark in general tone.
131. There is no trace of the washstand, but the other furniture is intact.
132. According to Anna-Liisa Hjelt, it was nearer the window, alongside the opposite wall. This is also discernible from a photograph belonging to Inkeri and Kaarina Saarinen. The sofa at the window is after a design by Marke Niskala-Luostarinen.
133. This is indicated by the wooden structure of the chair seat, and the wide, strongly curved seat back.
134. The term appears in the inventory by Loja Saarinen.
135. Recounted by Anita Ehrnrooth.
136. The observation first made in 1903 about the similarities between the interiors of Saarinen and those of the Englishman M.H. Baillie Scott is reinforced by a comparison of the solutions presented in writings and water colours by the latter, and printed in The Studio 1893–1901. It is among the periodicals on the shelves of Hvitträsk library.
(Desmond O'Rourke)

218 Ateljeen ovi.
Studio door.

219 Piharakennuksen ovi.
The door of the smaller building.

220 Ovi.
Door.

221 Päärakennuksen muurin koriste.
Decorative detail from wall of main building.

222 Emil Wikströmin graniittinen karhuveistos.
Granite sculpture of bear by Emil Wikström.

PERUSTIEDOT HVITTRÄSKIN RAKENNUKSISTA JA ASUKKAISTA

TYTTI VALTO

Rakennuspaikka: Kirkkonummella, Vitträsk-järven itärannalla sijaitseva palsta 'Marievik' (RN:o 1:2), joka on lohkottu Bobäckin (Luoman) kylän Fasan tilasta.[1]

Pihapiirin alkuperäinen laajuus: Rakennukset on sijoitettu n. 40 metrin korkuisen, rannansuuntaisen harjanteen laelle; keskuspihaa on rajannut järven puolella, lännessä, asuin- ja ateljeetiloja sisältänyt päärakennus, pohjois-itäkulmassa kiviaita sekä idässä asuin- ja taloustiloja sisältänyt sivurakennus. Sisääntulo on tapahtunut kalliojyrkänteiden välistä etelästä, Masabyn asemalta tulleelta tieltä. Muilta osin alue on ilmeisesti ollut luonnontilassa.[2]

Rakennusten alkuperäinen ulkoasu: *Päärakennus.* Kolmi-, osittain kaksi- ja yksikerroksinen sekä osittain kellarillinen graniitti-, tiili- ja hirsirakennus. Seinäpintojen alaosat osaksi graniittia, osaksi rapatut, yläosat vuoraamatonta ja käsittelemätöntä(?) hirttä; kattopinnat yksikouruista tiiltä, savupiiput rapatut.[3] *Sivurakennus.* Kaksikerroksinen, kellariton graniitti-, tiili- ja hirsirakennus. Porrastornin seinäpinnat osaksi graniittia, osaksi rapatut, muiden seinäpintojen alaosat osaksi graniittia, osaksi rapatut, yläosat vuoraamatonta ja käsittelemätöntä(?) hirttä; kattopinnat vaakasaumattua asfalttihuopaa, savupiiput tiilipintaiset.[4]

Rakennusten alkuperäinen tilajako: *Päärakennuksen eteläsiipi* (pohjaratkaisu osittain tuntematon). Kellarikerroksessa holvattuja varasto(?)- ja talous(?)tiloja; sisäänkäynti eteläsivulta. Pohjakerroksessa alemmalla tasolla eteinen, isännän(?)huone, keittiö, tarjoiluvälikkö ja palvelijanhuone, ylemmällä tasolla holvattu ruokasali ja puolentoista kerroksen korkuinen, hirsipintainen olohuone('tupa'), johon liittyy matalampi takkanurkkaus ja avoveranta; sisäänkäynti eteiseen pihalta holvatun 'kulmaloggian' kautta, keittiöön pihalta ja olohuoneeseen avoverannan kautta länsisivulta. Toisessa kerroksessa ylähalli, johon liittyy avoveranta, vanhempien makuuhuone, rouvanhuone('kukkahuone') ja siihen liittyvä avoveranta, neljä(?) muuta asuinhuonetta sekä kylpyhuone ja erillinen WC. Kolmannessa kerroksessa mahdollisesti yksi(?) vieras(?)huone. Pohjakerros, toinen ja kolmas kerros yhteensä n. 410 m².[5]

Päärakennuksen pohjoissiipi (pohjaratkaisu osittain tuntematon). Pohjakerroksessa holvattuja talous(?)tiloja, mm. 'pumppukellari', sekä holvattu herrain(?)huone; sisäänkäynnit pihalta ja länsisivulta. Toisessa kerroksessa alemmalla tasolla palvelijanhuone, keittiö, tarjoiluhuone sekä osittain holvattu ruokasali ja siihen liittyvä avoveranta, ylemmällä tasolla eteinen ja puolentoista kerroksen korkuinen, hirsipintainen olohuone, johon liittyy matalampi takkanurkkaus ja 'kukkaerkkeri'; sisäänkäynti eteiseen pihalta sisäänvedetyn portaikon kautta, keittiöön pihan ulkopuolelta kiviaidan takaa ja ruokasaliin avoverannan kautta pohjoissivulta. Kolmannessa kerroksessa ylähalli ja siihen

---

FACTS ABOUT THE BUILDINGS AND OCCUPANTS OF HVITTRÄSK

TYTTI VALTO

Location: The 'Marievik' plot (Reg.no. 1:2) on the eastern shore of Vitträsk lake, split from the Fasa estate in the townland of Bobäck (Luoma), Kirkkonummi.[1]

Original extent of the built area: The buildings stand on a ridge about 40 metres high and parallel to the lakeshore. The courtyard was bounded towards the lake on the west by the main building, containing dwelling spaces and drawing studios, on the northeast corner by a stone wall, and on the east by the smaller building, containing dwelling and domestic spaces. The approach was from the south between rocky bluffs along the road from Masaby railway station. The rest of the landscape was presumably untouched.[2]

Original external appearance of the buildings: Main building: *three floors (partly one and two storey) over part basement, built of granite, brick and log. Lower areas of external walls, partly of granite, partly plastered, upper areas of exposed, untreated(?)log; roofing of single-lap pantile, chimneys plastered.[3]* Smaller building: *two floors without basement, built of granite, brick and log. Walls of staircase tower, partly of granite, partly plastered; lower areas of other walls, partly of granite, partly plastered, upper areas of exposed, untreated(?) log; roofing of horizontally-jointed bituminous felt, chimneys unplastered.[4]*

Original disposition of the rooms in the buildings: South wing of main building *(plan partly conjectural).* At basement level, vaulted storage(?) and domestic(?) spaces; entrance from the south front. On the lower ground floor, a hall, master's study(?), kitchen, servery and maid's room. On the upper ground floor, vaulted dining room, a living room('tupa') one and a half storeys high with exposed log walls, and with an inglenook, and an open verandah off. The hall entrance was through a vaulted corner portico from the courtyard; the kitchen entrance was also from the courtyard and the entrance to the living room was through the open verandah on the west front. On the first floor, a hall with open verandah, master bedroom, mistress's (or flower) room with open verandah, four(?) other habitable rooms, a bathroom, and separate w.c. On the second floor, possibly one(?) guest(?) room. Total area of the three floors, about 410 sq.m. (4400 sq.ft.)[5]

North wing of main building *(plan partly conjectural).* On the ground floor, vaulted domestic(?) spaces, including a pump room, and a vaulted den(?); entrances from the courtyard and from the west front. On the lower first floor, a maid's room, kitchen, servery, and a partly vaulted dining room, with an open verandah off. On the upper first floor, a hall, a living room one and a half storeys high with exposed log walls, and with an inglenook, and a bay window for plants. The hall entrance was at the head of a recessed flight of steps leading from the courtyard; the kitchen entrance was reached from outside the courtyard, beyond the stone wall; the entrance to the dining room was through the open verandah on the

115

liittyvä avoveranta, vanhempien makuuhone, lastenhuone, kaksi muuta asuinhuonetta sekä kylpyhuone ja erillinen(?) WC. Torniosassa kerrosta ylempänä näköala(?)huone. Toinen ja kolmas kerros yhteensä n. 285 m². [6]

Päärakennuksen ateljee-osa (pohjaratkaisu osittain tuntematon). Kaksi toisiinsa avautuvaa(?) kattoikkunallista piirustussalia, joilla kummallakin oma eteinen, sekä biljardi(?)huone, johon liittyy matalampi uuninurkkaus ja pieni terassi; sisäänkäynnit pihalta. [7]

Sivurakennus (pohjaratkaisu osittain tuntematon). Pohjakerroksessa talouskellareita, talli, vaunuvaja sekä pesu- ja leivintupa; sisäänkäynnit pihalta ja kiviaidan takaa pohjoissivulta. Toisessa kerroksessa kaksi asuinhuoneistoa (huone ja keittiö/n. 50 m² sekä viisi(?) huonetta ja keittiö/n. 150 m²), lisäksi luhtikäytävä ja heinäparvi; sisäänkäynti suurempaan huoneistoon pihalta porrastornin kautta, pienempään huoneistoon kiviaidan takaa pohjoissivulta. [8]

Rakennusten alkuperäinen teknillinen varustus: Molemmat rakennukset on lämmitetty huonekohtaisilla uuneilla. Vesijohto ja viemäröinti on ollut varmuudella vain päärakennuksessa, sivurakennuksen varustus on ilmeisesti ollut alkeellisempi; vesi saatiin pihakaivosta tai järvestä tasoitussäiliön ollessa ullakolla. [9]

Ainakin päärakennuksessa on ollut alusta alkaen puhelin; [10] kummassakaan rakennuksessa ei ollut sähköä, vaan huoneet on valaistu öljylampuilla ja kynttilöillä. [11]

Rakennuttajat: Arkkitehti Herman Gesellius (1874–1916), arkkitehti Armas Lindgren (1874–1929), puoliso Irene os. Hellsten (1878–1934) sekä arkkitehti Eliel Saarinen (1873–1950) ja ensimmäinen puoliso Mathilda os. Gyldén (1877–1921).

Suunnittelija: Arkkitehtuuritoimisto Gesellius, Lindgren, Saarinen.

Suunnitteluaika: Syksy(?) 1901 [12] – talvi 1902? (pääpiirustukset valmiit). [13]

Toteuttajat: Vastaavana rakennusmestarina työmaalla oli Hjalmar Lindroos (myöh. Lumiaho) Helsingistä. [14] Työmiehistä tiedetään varmuudella vain kirvesmiehet Alexander Heinonen ja Juho Emil Laurila sekä tilkitsijä Juho Kurki, kaikki(?) Helsingistä; [15] todennäköisesti työssä oli myös mukana naapurissa asunut kirvesmies Karl Hoffman. [16] Uunit muurattiin Wilh. Andstenin tehdas-osakeyhtiön kaakeleista, [17] osan uuninluukuista valmisti toiminimi Hj. H. Kasten Helsingistä; [18] rautatakeet teki seppä Anton Alexander Hartman Masabyn kylästä. [19] Vesijohto- ja viemärilaitteiston toimitti ja asensi urakalla toiminimi G. E. Berggrens Mekaniska Verkstad Helsingistä. [20] Kattotiilet olivat nähtävästi Ruotsista tai Saksasta hankittuja. [21]

Toteutusaika: Kevät 1902 [22] – elokuu 1902 (sivurakennus valmiina, päärakennuksen hirsiosat tekeillä) [23] – kesä(?) 1903 (päärakennus asuttavassa kunnossa). [24]

Ensimmäiset asukkaat: E. Saarinen valvoi paikan päällä rakennustöitä kesästä 1902 alkaen ja asui vastavalmistuneessa sivurakennuksessa ainakin osan aikaa syksystä 1902 kevääseen 1903. [25] Perheet muuttivat Helsingistä Hvitträskiin ilmeisesti vuoden 1903 kuluessa. [26] Saariset siirtyivät päärakennuksen eteläsiipeen (Mathilda tosin vietti ulkomailla ainakin kesäkuun [27] sekä syys-, loka- ja marraskuun); [28] päärakennuksen pohjoissiipeen muutti puolestaan A. Lindgren perheineen (tyttäret Margareta ja Helena olivat syntyneet v. 1899 ja 1901), ja sivurakennuk-

---

north front. On the second floor, a hall with open verandah, the master bedroom, children's room, two other habitable rooms, bathroom and separate(?) w.c. On the third floor in the tower, an observation(?) room. Total area of the first and second floors, about 285 sq.m. (3,070 sq.ft.) [6]

Studio section of the main building *(plan partly conjectural).* Two interconnected(?) skylit drawing studios with separate entrance porches, and a billiard(?) room with an inglenook and a small terrace; entrances from the courtyard. [7]

Smaller building *(plan partly conjectural).* On the ground floor, domestic spaces, a stable, carriage shelter, laundry and bakehouse; entrances from the courtyard and from the north front, beyond the stone wall. On the first floor, two flats (one room and kitchen, c. 50 sq.m. in area, and five(?) rooms and kitchen, c. 150 sq.m. in area); there was also a balcony and a hayloft. The entrance to the larger flat was from the courtyard by a staircase tower, and to the smaller flat from the north front, beyond the stone wall. [8]

Original standard of technical equipment in the buildings: *Both buildings were heated by tiled stoves in all habitable rooms. It is known that water supply and drainage was laid to serve at least the main building; a simpler arrangement probably existed for the smaller building. Water was drawn from the courtyard well or from the lake, and there was a storage cistern in the attic. [9]*

There was a telephone from the outset, in the main building anyway; [10] there was no electric power in either building, however, and light was obtained from oil-lamps and candles. [11]

Owner developers: *Herman Gesellius (1874–1916), architect, Armas Lindgren (1874–1929), architect, and his wife Irene, née Hellsten (1878–1934), Eliel Saarinen (1873–1950), architect, and his first wife Mathilda, née Gyldén (1877–1921).*

Architects: *The Gesellius, Lindgren and Saarinen architectural office.*

Planning period: *Autumn(?) 1901 [12] – winter 1902? (completion of the design drawings). [13]*

Builders, suppliers: *The site overseer was Hjalmar Lindroos (later Lumiaho), of Helsinki. [14] The only workmen known by name are Alexander Heinonen and Juho Emil Laurila, both carpenters, and Juho Kurki, a caulker, all(?) of Helsinki; [15] Karl Hoffman, a local carpenter probably contributed help too. [16] The stoves were faced with glazed tiles from the 'Wilh. Andstenin tehdas-osakeyhtiö' factory; [17] the metal doors of some stoves were manufactured by the firm of Hj. H. Kasten, Helsinki. [18] The wrought ironwork was by Anton Alexander Hartman, a smith from Masaby village. [19] The water supply and drainage work was supplied and installed under contract by the firm of G. E. Berggrens Mekaniska Verkstad, Helsinki. [20] The roofing pantiles were apparently brought from either Sweden or Germany. [21]*

Construction period: *Spring 1902 [22] – August 1902 (smaller building completed and timberwork under way in main building) [23] – summer(?) 1903 (main building habitable). [24]*

First occupants: *Eliel Saarinen supervised the construction work on site from summer 1902, and stayed (at any rate some of the time) between autumn 1902 and spring 1903 in the recently completed smaller building. [25] The families probably moved from Helsinki to Hvitträsk in the course of 1903. [26] The Saarinen couple occupied the south wing of the*

sen suurempaan asuntoon H. Gesellius. Mahdollisesti myös Geselliuksen sisar Louise asettui jo tässä vaiheessa Hvitträskiin.[29]

Eliel ja Mathilda Saarisen erottua kumpikin vihittiin uuteen avioliittoon 6.3.1904; Eliel Louise (Loja) Gesselliuksen (1879–1968) ja Mathilda Herman Gesselliuksen kanssa.[30]

Myöhemmät asukkaat ja omistajat: Asuttuaan Hvitträskissä noin puolitoista vuotta A. Lindgren muutti perheineen vuoden 1905 alussa takaisin Helsinkiin,[31] tällöin myös 'Arkkitehtuuritoimisto Gesellius, Lindgren, Saarinen' käytännössä hajosi. Osuutensa Hvitträskistä Lindgrenit myivät H. Gesselliukselle ja E. Saariselle.[32]

Päärakennuksen pohjoissiipeen muutti Lindgrenien tilalle aluksi arkkitehti Jarl Eklund perheineen (puoliso Margareta os. Gesellius), mutta ilmeisesti vielä vuoden 1905 puolella sinne siirtyivät pysyvästi Gesselliukset.[33] H. Gesselliuksen kuoltua v. 1916 Mathilda myi osuutensa Saarisille ja muutti pois samana(?) vuonna.[34] Tämän jälkeen vuoteen 1922 asti pohjoissiipeä käytettiin nähtävästi vain vierastilana, ainakin muutamana kesänä siellä asui insinööri Allan Hjelt perheineen.[35] Alakerran keittiöosa oli lisäksi v. 1917?–22 puutarhurin asuntona.[36]

E. Saarinen asui perheineen (tytär Eva-Lisa oli syntynyt v. 1905 ja poika Eero v. 1910) päärakennuksen eteläsiivessä Amerikkaan muuttoonsa, vuoteen 1923 saakka.[37] Sinne oli majoitettuna aika ajoin myös toimiston työntekijöitä, sukulaisia (mm. Elielin veli Einar ja isä, rovasti Juho Saarinen), pitkäaikaisia vieraita sekä lasten kotiopettajatar.[38]

Gesselliusten muuton jälkeen sivurakennuksen suuremmassa huoneistossa asui nähtävästi Jarl Eklund perheineen noin vuoteen 1906 asti,[39] sen jälkeen taiteilijapari Eric O. W. Ehrström ja Olga Gummerus-Ehrström vuoteen 1912,[40] arkkitehti Berndt Aminoff perheineen vuoteen 1918,[41] todennäköisesti saksalainen arkkitehti K. H. Fischer perheineen v. 1919–20,[42] arkkitehti Frans Nyberg perheineen ainakin v. 1920–22[43] sekä arkkitehti Hilding Ekelund perheineen v. 1923.[44] Sivurakennuksen pienempi huoneisto oli ilmeisesti alusta alkaen talonmiehen asuntona.[45]

Saaristen Amerikkaan lähdön jälkeen Hvitträskin hoidosta vastasi aluksi Hermanin ja Louisen sisar Olga Gesellius,[46] vuodesta 1928 alkaen 1930-luvun loppuun professori Johannes Öhquist,[47] ja sen jälkeen vuoteen 1949 asti arkkitehti Jarl Eklund.[48] Tänä aikana Saariset tulivat lähes joka vuosi viettämään osan kesästään Hvitträskiin. Päärakennuksen eteläsiipi oli muutoin suurimmaksi osaksi tyhjillään, palvelijan lisäksi siellä oleskeli aluksi vain O. Gesellius, sitten ajoittain Elielin sisar, Siiri Saarinen,[49] toisen maailmansodan aikana tanskalainen diplomaatti Flemming Lerche, ja sodan jälkeen valvontakomission brittiläisiä jäseniä.[50] Uudelleenrakennetussa pohjoissiivessä (ks. Pihapiirin ja rakennusten myöhemmät vaiheet) oli vuokralaisena v. 1934–38 rouva Fanny Helander[51] ja v. 1938–49 tanskalainen laivanvarustaja Vilhelm Knudsen perheineen.[52] Sivurakennuksen suuremmassa huoneistossa asui v. 1927–39 prof. J. Öhquist puolisoineen[53] ja 1940-luvulla vuokralaisena oli tanskalainen liikemies Paul Musfeldt perheineen.[54] Pienemmässä huoneistossa asui edelleen talonmies.[55]

Vuonna 1949 Saariset myivät Hvitträskin irtaimistoineen Anelma ja Rainer Vuoriolle,[56] joilta se pakkohuutokaupassa v. 1968 siirtyi Kansallis-Osake-Pankille[57] (irtaimisto huutokaupattiin erikseen v. 1969).[58] Vuonna 1969 omistajiksi tuli Gerda ja Salomo Wuorion säätiö ja v. 1981 Suomen valtio (Hvitträsk-säätiö).[59]

Pihapiirin ja rakennusten myöhemmät vaiheet: Mahdollisesti jo v. 1903 tai 1904 korotettiin päärakennuksen pohjoissiiven torniosaa A. Lindgrenin suunnitelman mukaisesti; sen laakean aumakaton tilalle

main building; Mathilda was abroad, however, at least for the month of June,[27] and during September, October and November.[28] The Lindgren family took the north wing of the main building (Margareta and Helena, their daughters, were born in 1899 and 1901) and Herman Gesellius took the larger flat in the smaller building. It may be that his sister Louise also came to live at Hvitträsk in the same year.[29]

After Mathilda and Eliel Saarinen's marriage broke up, they each remarried on 6th March 1904; she married Herman Gesellius, and he married Louise (Loja) Gesellius (1879–1968).[30]

Later occupants and owners: *After living at Hvitträsk for about a year and a half, Armas Lindgren and his family returned to Helsinki at the start of 1905,[31] whereupon the joint architectural office effectually ceased to operate. The Lindgrens sold their share in Hvitträsk to Herman Gesellius and Eliel Saarinen.[32]*

When the Lindgrens left, the north wing of the main building was initially occupied by Jarl Eklund, architect, and family (his wife Margareta was a Gesellius); however it would seem that Mathilda and Herman Gesellius took up permanent residence in the north wing in the course of 1905.[33] When Herman Gesellius died in 1916, Mathilda sold her share to the Saarinens, and moved out during the same(?) year.[34] The north wing was then used apparently only for guests until 1922; it was occupied by Allan Hjelt, an engineer, and his family for a few summers at least.[35] The lower floor kitchen quarters were the abode of the gardener from 1917? to 1922.[36]

Eliel Saarinen and his family (daughter Eva-Lisa was born in 1905, and son Eero in 1910) lived in the south wing of the main building until they left for America in 1923.[37] It also often served to house office staff and relatives (including Eliel's brother Einar and his father Dean Juho Saarinen) as well as staying guests, and the children's governess.[38]

When Mathilda and Herman Gesellius moved from the smaller building, the larger flat was apparently occupied by Jarl Eklund and family until about 1906,[39] subsequently by Eric O. W. Ehrström and his wife Olga Gummerus-Ehrström, artists, until 1912,[40] and by Berndt Aminoff, architect, and family until 1918.[41] A German architect, K. H. Fischer and family probably lived there in 1919–20;[42] Frans Nyberg, architect, and family occupied it at any rate in 1920–22,[43] and Hilding Ekelund, architect, and family in 1923.[44] The smaller flat in this building was where the caretaker lived, presumably from the outset.[45]

After the departure of the Saarinens to America, Hvitträsk was at first entrusted to Olga Gesellius, sister of Herman and Louise.[46] From 1928 to the close of the 1930s, it was entrusted to Professor Johannes Öhquist,[47] and until 1949, to Jarl Eklund.[48] During these years, the Saarinen family came to Hvitträsk almost every summer; otherwise the south wing remained vacant, save for a maid, who lived there permanently, and Olga Gesellius. Later, it was occupied periodically by Eliel's sister, Siiri Saarinen,[49] and during the Second World War by Flemming Lerche, a Danish diplomat. When the war ended, it served to accommodate the British members of the Control Commission.[50] The north wing, after its reconstruction (see below), was rented to Mrs Fanny Helander in 1934–38,[51] and to a Danish shipyard owner Vilhelm Knudsen and family in 1938–49.[52] Professor Johannes Öhquist and his wife occupied the larger flat in the smaller building in 1927–39.[53] It was let to a Danish businessman Paul Musfeldt and family, in the 1940s.[54] The smaller flat was still occupied by the caretaker.[55]

In 1949, the Saarinens sold Hvitträsk and its contents to Anelma and Rainer Vuorio.[56] An enforced sale in 1968 put it in the possession of the Kansallis-Osake-Pankki (a bank);[57] a separate auction of the contents

tehtiin tällöin näköalatasanne ja pieni sisäänvedetty porras(?)torni.[60]

Viimeistään kesällä 1906 valmistuivat päärakennuksen eteläsiipeen liitetyn terassoinnin tukimuuri- ja maastotyöt; niiden yhteydessä kellarikerroksen ulko-ovi muurattiin umpeen sen jäädessä uuden puutarhatason alle.[61] Tähän mennessä oli myös ateljeen pohjoisempi ulko-ovi muutettu ikkunaksi[62] sekä pihalle ja ateljeehen(?) järjestetty kaasuvalaistus.[63] Mahdollisesti myös pohjoissiipeen liitetty terassointi oli jo valmis.[64]

Todennäköisesti kesällä 1908 siirrettiin eteläisen terassipuutarhan järvenpuoleinen tukimuuri ulommaksi, nykyiseen kohtaansa, samalla kun terassiin lisättiin pergola-aidat ja huvimaja. Myös pohjoisen terassipuutarhan pergola-aidat, -katos ja olkikattoinen huvimaja ovat kaikesta päättäen tältä ajalta,[65] samoin kuin pihaa rajanneen kiviaidan pohjoissivulle tehty porttirakennus ja puinen, yksikerroksinen halkoliiteri;[66] sen sijaan aidan itäsivulle tehty kivinen, yksikerroksinen jääkellari- ja varastorakennus voi olla varhaisempikin.[67] Tässä vaiheessa oli ehkä saatu valmiiksi myös pihan ulkopuolelle sijoitettu tenniskenttä pergola-aitoineen, sekä sen ja halkoliiterin välistä alkanut, Bobäckin seisakkeelle johtanut tie.[68] Todennäköisesti kesällä 1908 avattiin myös päärakennuksen eteläisiven olohuoneeseen ja sen uudelle terassille ja yläpuolinen hirrestä tehty pääty muutettiin lautarakenteiseksi ja verhottiin paanuilla.[69] Viimeistään tällöin sisustettiin myös eteläsiiven toisen kerroksen järvenpuoleiset tilat lastenhuoneiksi ja kolmannen kerroksen vieras(?)huone jaettiin kahdeksi erilliseksi huoneeksi, joista järvenpuoleiseen tehtiin oma kaakeliuuni;[70] ateljeen piirustussalit erotettiin toisistaan väliseinällä ja eteläisempää salia laajennettiin purkamalla eteinen ja toiseen kerrokseen johtanut porras ylätasanteineen, samalla kun biljardi(?)huoneen ikkuna-aukosta poistettiin välipilarit ja viereiseen, terassille johtavaan välikköön puhkaistiin ikkuna.[71] Puretun portaikon tilalle sijoitettiin rautakamiina sekä lavoaari.[72]

Kesällä 1908 oli todennäköisesti valmiina myös pääosa H. Gesselliuksen ehkä jo v. 1906 aloittamista päärakennuksen pohjoissiipeen muutostöistä.[73] Olohuoneen seinien ja katon hirsipinnat oli siloitettu ja rapattu(?), alkuperäinen takka uusittu sekä matalampi takkanurkkaus erotettu omaksi tilakseen ja sisustettu monikulmaiseksi kirjastoksi.[74] Torniosassa oli avattu ikkuna kolmanteen kerrokseen ja vanhempien makuuhuoneen pääikkuna siirrettiin itäseinältä pohjoisseinälle. Mahdollisesti myös kylpyhuone oli jo laajennettu ja yhdistetty leveällä aukolla budoaariksi sisustettuun entiseen lastenhuoneeseen.[75] Pohjoissiipeen ja pohjoisempaan piirustussaliin oli lisäksi asennettu keskuslämmitys radiaattoreineen ja ilmeisesti suurin osa kaakeliuuneista oli tällöin purettu (mm. ateljeen pihaseinällä ollut uuni).[76]

Viimeistään kesällä 1909 pystytettiin sivurakennuksen itäpuolelle Ehrströmeitä varten puurakenteinen ateljeesiipi; sen yhteydessä suuremman huoneiston eteläsivulle puhkaistiin uusi ikkuna-aukko, koska aikaisempi jäi ateljeen peittämäksi.[77]

1910-luvun puolivälissä päärakennuksen eteläsiiven eteinen laajennettiin isännän(?)huoneeseen ja samalla kulku olohuoneeseen järjestettiin kokonaan tätä kautta; ullakolle tehtiin myös lisähuone.[78] Tuonaikaisissa valokuvissa ensi kertaa järven rannalla näkyvä kelta-valkoiseksi maalattu, lautarakenteinen uimahuone oli sen sijaan tehty ehkä jo edellisellä vuosikymmenellä.[79]

1910-luvun loppu(?)puolella päärakennuksen hirsipinnat eteläsiiven pihasivuja lukuun ottamatta päällystettiin paanuilla, viimeiseksi ilmeisesti järven puolelta.[80] H. Gesselliuksen kuoleman jälkeen ateljeen piirustussaleja erottanut väliseinä purettiin ja biljardihuone sisustettiin kirjastoksi.[81] 1910-luvun loppupuolella myös sivurakennuksen ateljeesiipi korvattiin avoverannalla, jonka yhteyteen muodostettiin samalla terassipuutarha.[82]

was held in 1969.[58] Hvitträsk was acquired that year by the Gerda and Salomo Wuorio Foundation, and by the Finnish State (represented by the Hvitträsk Foundation) in 1981.[59]

Later phases in the development of the buildings and gardens: Perhaps as early as 1903 or 1904, the tower in the north wing of the main building was given extra height according to a design by Lindgren; its low hipped roof was now replaced by an observation deck, and a small staircase(?) tower set back from the facade.[60]

Not later than in summer 1906, the terrace retaining wall and earthwork on the south front of the main building were completed. The door to the basement was also bricked up, as it lay below the level of the new garden.[61] The door at the north end of the studio section had been turned into a window,[62] and the courtyard and studio(?) equipped with gaslight.[63] Also the terrace on the north front was possibly already completed.[64]

It would seem that in summer 1908, the south terrace retaining wall facing the lake was reset on a line farther out, as at present, and a pergola surround and wooden arbour were added to the terrace garden. The pergola surround, pergola and thatched folly belonging to the north terrace garden were in all likelihood also built about then,[65] as were the arched gateway and the wooden one-storeyed firewood store adjacent to the stone wall bounding the courtyard to the north.[66] On the other hand, the one-storeyed stone building, aligned with the east face of the wall and containing an ice cellar and stores, may have been erected at an earlier date.[67] By this juncture, the tennis court situated beyond the courtyard, its pergola surround, and between it and the firewood store, the road to the railway halt at Bobäck had perhaps been laid too.[68] It appears that, also in summer 1908, a door was inserted between the south wing living room and the new terrace, and the log gable wall overhead rebuilt, using stud and board faced with shingles.[69] Also, not later than this date, the first floor rooms facing the lake were furnished to the children's needs, the second floor guest(?) room was divided to form two rooms and a new tiled stove built in the half facing the lake;[70] the drawing studios were sealed off from each other; the studio at the south end was enlarged at the expense of the porch, staircase and areas overhead; the window mullions were removed in the billiard(?) room, and a window inserted in the space connecting the room to the terrace.[71] An iron stove and a handbasin were installed in place of the stairs.[72]

In summer 1908, also the alterations to the north wing of the main building which Herman Gesellius had begun perhaps as early as 1906 were probably by and large completed.[73] The exposed log surfaces of the living room walls and ceiling were levelled and plastered(?), and the original fireplace was rebuilt. The inglenook was made into a separate space and furnished as a polygonal library.[74] A new window was inserted in the tower at second floor level and the main window of the master bedroom was moved from the east to the north wall. The bathroom may also have been enlarged already and made to open into what had been the children's room, now furnished as a boudoir.[75] Piped central heating and radiators were installed in the north wing and the north drawing studio, and many of the tiled stoves were presumably dismantled (e.g. the stove that stood against the courtyard wall in the drawing studio).[76]

Not later than in summer 1909, a wooden atelier wing was added to the east front of the smaller building for the Ehrströms; at the same time, a window was inserted in the south wall of the larger flat, replacing that now screened by the atelier wing.[77]

In the middle of the 1910s, the entrance hall of the south wing was extended into the master's study(?), and the access to the living room was

Noin v. 1920 Hvitträsk sähköistettiin.[83] Mahdollisesti oikosulusta aiheutunut tulipalo tuhosi 18.7.1922 päärakennuksen pohjoissiiven kivija tiiliosia lukuun ottamatta.[84] Säilynyt pohjakerros katettiin väliaikaisesti.[85] Syksyllä 1928 Eero Saarinen suunnitteli sen päälle alkuperäistä pienemmän, puolitoistakerroksisen ja tiilirakenteisen uudisosan,[86] joka toteutettiin v. 1929–33.[87] Alkuperäisen kivijalan pohjoisin pää sekä entisen ruokasalin kattoholvi muutettiin tällöin terassipuutarhan osaksi. Todennäköisesti tulipalon jälkeen suurennettiin myös ateljeen eteläisen ulko-oven suippokaarinen yläosa suorakulmaiseksi.[88] Sivurakennuksen suurempaan asuntoon tehtiin v. 1932 kylpyhuone ja WC.[89] Vuosina 1936–37 rakennettiin Eero Saarisen suunnitelmien mukaan pihan ulkopuolelle, sivurakennuksen taakse, uusi yksikerroksinen hirsi- ja lautarakenteinen taloussiipi, johon tuli talli, käymälä sekä erilaisia säilytysvajoja.[90] Vanha halkoliiteri purettiin ja pohjoisen terassipuutarhan pergola-aitaa jatkettiin sen paikalle, lisäksi vanhaan jääkellari- ja varastorakennukseen sijoitettiin autotalli samalla kun rakennusta kaikesta päättäen lyhennettiin (porttikäytäväosa oli ilmeisesti purettu jo aikaisemmin).[91] Samassa yhteydessä paanutettiin myös päärakennuksen eteläsiiven pihanpuoleiset hirsipinnat[92] ja sivurakennuksen toisessa kerroksessa olleesta heinäparvesta tehtiin lisähuone pienempään asuntoon.[93]

Vuosina 1949–58 pää- ja sivurakennuksessa tehtiin korjaus- ja muutostöitä lähinnä rouva Anelma Vuorion ohjeiden mukaan. Päärakennuksen eteläsiipeen asennettiin tällöin keskuslämmitys, ikkunoiden sisäruuduista poistettiin puitejaot ja koko sisävaritys muutettiin. Eteisen ja keittiön yhteyteen tehtiin uudet WC-tilat ja ruokasalista avattiin suora kulkuyhteys ateljeehen kirjaston uuninurkkauksen läpi, jolloin uuni siirrettiin pohjoisen piirustussalin matalaan oleskelusyvennykseen; samassa yhteydessä vanha oviaukko tarjoiluvälikön ja ruokasalin välillä muurattiin umpeen, ruokasalin ikkuna-aukkoa suurennettiin sekä siinä ollut lasimaalaus poistettiin. Ateljeessa piirustussalien välillä ollut kaakeliuuni purettiin (savupiippu oli ilmeisesti poistettu jo Saaristen aikana) ja kaakeleista tehtiin avotakka järvenpuoleisella seinustalla olleen rautakamiinan tilalle. Toisen kerroksen ylähallia laajennettiin purkamalla kylpyhuoneen viereinen WC sekä poistamalla lastenhuoneen ja hallin välinen seinä; tämän lisäksi lastenhuoneen ikkuna-aukkoa suurennettiin, entisen kotiopettajattarenhuoneen paikalle tehtiin kaksi kylpyhuonetta, rouvanhuoneen kaakeliuuni purettiin ja ullakkohuoneeseen johdettiin oma porras toisesta kerroksesta. Sivurakennuksen taloussiiven avokatos-osaan rakennettiin autotalleja ja tenniskenttä varattiin paikoitusalueeksi. Järven rantaan pystytettiin arkkitehti R.-V. Luukkosen suunnittelema hirsisauna.[94]

V. 1969–71 rakennukset korjattiin ja ulkoalueet kunnostettiin uudestaan, ja niissä tehtiin jälleen huomattavia tila- ja käyttötarkoitusmuutoksia; suunnittelusta vastasi sis.arkkitehti Marke Niskala-Luostarinen ja sivurakennuksen osalta lisäksi arkkitehtitoimisto Aino ja Pekka Laurila. Päärakennuksen eteläsiivestä tehtiin museo, ateljee-osasta näyttely- ja kokoustila sekä pohjoissiivestä hotelli. Tässä yhteydessä järjestettiin uusi sisäänkäynti eteläisellä puutarhaterassilta kellarikerroksen, eteläsiiven ruokasalin ikkuna- ja oviaukot sekä kirjaston uuninurkkaus palautettiin ennalleen, ateljeehen tehty avotakka purettiin, kulku eteisestä olohuoneeseen järjestettiin paikkaan, jossa se oli ollut ennen 1910-luvun muutosta, ja samalla keittiö sekä tarjoiluvälikkö muutettiin osittain eteistiloiksi, lisäksi palvelijanhuoneesta puhkaistiin uusi oviaukko ateljeehen ja koko sisävaritys uusittiin. Pohjoissiiven pohjakerrokseen tehtiin entisen 'pumppukellarin' paikalle eteistilat ja sauna sekä talous(?)kellariin keittokomero. Sivurakennukseen sijoitettiin ravintola ja kahvila keittiöosastoineen; yläkertaan johdettiin uusi porras ja alkuperäistä tilajakoa muutettiin molemmissa kerroksissa,

now arranged through it. An extra room was also built in the attic.[78] The yellow and white lakeside dressing room of stud and board, that first appears in contemporary photographs, would, however, seem to date from the previous decade.[79]

Towards the end(?) of the 1910s, the exposed log walls of the main building, except those of the south wing facing the courtyard, were clad with shingles, the side facing the lake presumably last of all.[80] After the death of Herman Gesellius, the partition dividing the drawing studios was dismantled and the billiard room furnished as a library.[81] Towards the end of the 1910s also, the atelier wing of the smaller building was replaced by an open verandah, and a terraced garden was built in conjunction with it.[82]

Electricity was installed in Hvitträsk about the year 1920.[83] On July 18th 1922, the north wing of the main building was gutted by a fire, caused perhaps by a short circuit, leaving only the stone and brick parts of the building.[84] The remaining part of the ground floor was temporarily roofed[85] and, in autumn 1928, Eero Saarinen drew a smaller brick structure over it one and a half storeys high,[86] which was built in 1929–33.[87] The northernmost section of the original plinth and the vaulted ceiling of the old dining room were now made to become part of the garden terrace. The pointed arch of the doorway at the south end of the studio section was made rectangular, also probably after the fire.[88] In 1932, a bathroom equipped with a w.c. was added to the larger flat in the smaller building.[89] During 1936–37, a new single storey domestic wing of log and board drawn by Eero Saarinen was built away from the courtyard, beyond the smaller building; it contained a stable, an earth closet and storage sheds.[90] The old firewood store was demolished and the pergola surround of the north garden terrace extended across the vacant location. In addition, a garage space was made in the building containing the ice-cellar, and its length reduced, as far as one may judge; it seems the arched gateway was demolished earlier.[91] The exposed log walls of the south wing of the main building facing the courtyard were now clad with shingles,[92] and the hayloft in the smaller building was turned into an extra room for the smaller flat.[93]

Between 1949–58, repairs and renovations were carried out on both buildings, mainly at the direction of Mrs Anelma Vuorio. Central heating was now installed in the south wing of the main building, the glazing bars were removed from the inner windows, and the interior colour schemes completely changed. Sanitary areas were installed in the vicinity of the hall and kitchen. The dining room and studio section were connected by a door through the library inglenook, so that the tiled stove came to be moved to the alcove at the head of the north drawing studio. The door connecting the servery and dining room was bricked up, the dining room window enlarged and its stained glass removed. The tiled stove at the junction of the drawing studios was taken down (the chimney had been demolished presumably earlier by the Saarinens) and the tiles were used for an open hearth replacing the iron stove next the wall facing the lake. Further space was created in the upper hall by removing the w.c. beside the bathroom, and removing the partition which separated the hall from the children's room; the latter room was given a bigger window, and what had been the governess's room was turned into two bathrooms. The tiled stove in the mistress's room was dismantled, and another stairs made between the attic room and the first floor. The open sheds in the smaller building's domestic wing were made into garages, and the tennis court became a parking lot. A log-built sauna was built at the lakeside after the design of R.-V. Luukkonen, architect.[94]

Between 1969–71, the buildings were repaired and the gardens again set in order. Considerable changes occurred once more in the disposition of

samalla mm. osa välipohjista tehtiin betonista. Taloussiipi rakennettiin osittain täysin uudelleen ja siihen sijoitettiin talonmiehen asunto, henkilökunnan sosiaalitiloja, varastoja ja lämpökeskus. Entinen jääkellari-, varasto- ja autotallirakennus muutettiin näyttely- ja ravintolatilaksi. Sivurakennuksen edustalla piha laskettiin nupukivin ja koko pihapiiri varattiin veistosnäyttelyalueeksi.[95] V.1975 rakennettiin palaneen rantasaunan tilalle uusi arkkitehti Reima Pietilän suunnitelman mukaan.[96]

Toteutumattomat suunnitelmat: Eteläisen terassipuutarhan keskeneräinen 'rundeli'-osa kuuluu suunnitelmaan, jossa siitä ja sivurakennuksen porrastornista oli tarkoitus muodostaa pihan etelässä sulkeva portti.[97] Vuonna 1916 'rundelin' päälle suunniteltiin kasvihuonetta.[98]

1920-luvun alussa(?) ajateltiin Hvitträskin muuttamista? ja laajentamista pensionaatiksi tai toipilaskodiksi; pihan pohjois- ja itäpuolelle oli tarkoitus tehdä uudet yksi-, osittain kaksi- ja kolmikerroksiset siipirakennukset, joihin olisi sijoitettu yhden ja kahden hengen huoneita.[99]

Esittelyt, arvioinnit: Deutsche Kunst und Dekoration, Oktober 1903, E.Beutinger: "Die moderne Kunst-Bewegung in Finnland" (A.Lindgrenin piirros, s.18). Die neue Rundschau 4/1905, J.Meier-Graefe: "Die Kultur Finnlands". Dekorative Kunst, Februar 1907, "Zu unseren Bildern" (ulko- ja sisäkuvia). Moderne Bauformen 4/1907, -O-: "Gesellius, Lindgren und Saarinen" (ulko- ja sisäkuvia). Hermann Muthesius: Landhaus und Garten, München 1907 (ulko- ja sisäkuvia). Magyar Iparmüvészet 3/1907, ed. kirjan esittely (sisäkuva). Magyar Iparmüvészet 1/1908, Torsten Stjernschantz: "A finn müvészet és iparmüvészet" (ulko- ja sisäkuvia sekä kuva lasimaalauksesta). Erich Haenel – Heinrich Tscharmann: Die Wohnung der Neuzeit, Leipzig 1908 (sisäkuvia, s.182, 258, 267). Hufvudstadsbladet 8.7. 1909, Couleur: "Arkitektutflykten". Architekten 31.7.1909, K.V[arming]: "Det tredie nordiske Architektmøde" (ulkokuvia). Arkitektur 8/1909, Carl G.Bergsten: "Nordiska arkitektmötet i Finland" (ulkokuvia). Arkitekten VI/1909, Couleur: "Arkitektutflykten" (ulkokuvia). Moderne Bauformen 8/1909 (sisäkuva). Johannes Öhquist: Suomen taiteen historia, Helsinki 1912 (ulkokuvia sekä kuva lasimaalauksesta s.618). Architekten 31.8.1912, Francis Beckett: "Indtryk af finsk Bygningskunst" (ulko- ja sisäkuvia). Hemma och Ute 15–16/1913, Hanna Rönnberg: "Konstnärshemmet vid Hvitträsk" (ulko- ja sisäkuvia). Hemma och Ute 17/1913 (ulkokuvia). Eliel Saarinen: Munkkiniemi–Haaga ja Suur-Helsinki. Tutkimuksia ja ehdotuksia kaupunkijärjestelyn alalta, Helsinki 1915, Munksnäs–Haga och Stor-Helsingfors. Stadsplansstudier och förslag, Helsingfors 1915 (ulkokuvia). Veckans Krönika 38/1915, G[unnar] T[akolander]: "Villor vid Hvitträsk" (ulkokuvia). Joulutunnelma 1915, Helmi Krohn: "Eliel Saarisen luona" (ulkokuvia). Arkitekten III/1916, B[irger] B[runila]: " † Herman Gesellius" (sisäkuvia). Kulkuset 1920, Otto I.Meurman: "Eliel Saarinen" (ulko- ja sisäkuvia). Suomalaisia koteja, Porvoo 1921 (ulko- ja sisäkuvia). Suomen Kuvalehti 30/1922, "Valitettava tulipalo" (ulkokuva ennen ja jälkeen palon). Veckans Krönika 45–46/1922, "Hos Saarinen i Hvitträsk" (ulko- ja sisäkuvia). The American Architect – The Architectural Review 26.9.1923 (ulko- ja sisäkuvia). Het Bouwbedrijf 10/1925, C.Lindberg:"Bouwkunst en bouwwezen in Finland" (ulkokuva). J.G.Wattjes: Moderne Architectuur, Amsterdam 1927 (ulkokuva). Suomen Kuvalehti 28/1928, Rita Vikman: "Eräs koti" (ulko- ja sisäkuvia). Arkkitehti ja Arkitekten 10/1929, Bertel Jung–Rafael Blomstedt: "Armas Lindgren in memoriam" (A.Lindgrenin piirros). Deutsch-nordische Zeitschrift, Festnummer 1929, Johannes Öhquist: "Eliel Saarinen, ein finnischer Baukünstler"

the rooms, and in their functions. The design was by Marke Niskala-Luostarinen, interior architect, while Aino and Pekka Laurila, architects, collaborated in the design of the smaller building. The south wing of the main building was converted into a museum, the studio section into an exhibition and conference room, and the north wing converted into a hotel. The basement entrance from the south garden terrace was utilised once more and the window and door openings of the dining room and the library inglenook were restored to their original state. The open hearth in the studio section was removed, and access between the entrance hall and living room restored as it had been before the alteration of the 1910s. The kitchen and servery area now became part of the entrance hall and a doorway was inserted between the maid's room and the studio section. All of the interior colour schemes were altered. The former ground floor pump room in the north wing became a hall and sauna section, and the domestic(?) cellar became a kitchenette. The smaller building was converted into a restaurant and coffee room with kitchen areas; a new stairs was put in, and some changes made in the disposition of the rooms at both levels; furthermore new reinforced concrete sections were inserted in the intermediate floors. Part of the domestic wing was fully rebuilt; it was equipped with a caretaker's flat, staff facilities, stores and a heating plant. The building which had earlier contained the ice-cellar, stores and garage was converted into exhibition and restaurant spaces. The courtyard was paved with setts in front of the smaller building and the entire outdoor area made suitable for sculpture exhibitions.[95] In 1975, a new lakeside sauna was built to the design of Reima Pietilä, architect, replacing that destroyed by fire.[96]

Unimplemented designs: The unfinished roundel of the south garden terrace belongs to a design in which it would have combined with the staircase tower of the smaller building to form a southern gateway to the courtyard.[97] In 1916, it was planned to surmount the roundel with a greenhouse.[98]

In the early 1920s(?), it was suggested that Hvitträsk be extended, and converted(?) into a boarding house or convalescent home; it was intended to build new extensions of 1–3 storeys containing single and double rooms, northwards and eastwards of the courtyard.[99]

Presentations, reviews: Deutsche Kunst und Dekoration, Oktober 1903, E.Beutinger: "Die moderne Kunst-Bewegung in Finnland" (Armas Lindgren's drawing, p.18). Die neue Rundschau 4/1905, J.Meier-Graefe: "Die Kultur Finnlands". Dekorative Kunst, Februar 1907, "Zu unseren Bildern" (exterior and interior pictures). Moderne Bauformen 4/1907, -0-: "Gesellius, Lindgren und Saarinen" (exterior and interior pictures). Hermann Muthesius: Landhaus und Garten, München 1907 (exterior and interior pictures). Magyar Iparmüvészet 3/1907, review of the above book (interior picture). Magyar Iparmüvészet 1/1908, Torsten Stjernschantz: "A finn müvészet és iparmüvészet" (exterior and interior pictures and picture of stained glass). Erich Haenel – Heinrich Tscharmann: Die Wohnung der Neuzeit, Leipzig 1908 (interior pictures, p.182, 258, 267). Hufvudstadsbladet 8.7.1909, Couleur: "Arkitektutflykten". Architekten 31.7.1909, K.V[arming]: "Det tredie nordiske Architektmøde" (exterior pictures). Arkitektur 8/1909, Carl G.Bergsten: "Nordiska arkitektmötet i Finland" (exterior pictures). Arkitekten VI/1909, Couleur: "Arkitektutflykten" (exterior pictures). Moderne Bauformen 8/1909 (interior picture). Johannes Öhquist: Suomen taiteen historia, Helsinki 1912 (exterior pictures and picture of stained glass, p.618). Architekten 31.8.1912, Francis Beckett: "Indtryk at finsk Bygningskunst" (exterior and interior pictures). Hemma och Ute 15–16/1913, Hanna Rönnberg, "Konstnärshemmet vid Hvitträsk" (exterior

(ulkokuva). *Aamu* 10/1929, Johannes Öhquist: "Eliel Saarinen. Kuuluisin Suomen taiteilijoista" (ulko- ja sisäkuvia). Johannes Öhquist: *Samtida konst i Finland,* Malmö 1929, *Neuere bildende Kunst in Finnland,* Helsingfors 1930 (ulkokuvia). *Nordens kalender 1936,* Göteborg 1935, Gustaf Strengell: "Eliel Saarinen – skyskrapans nydanare" (ulkokuva). *Pencil Points,* September 1936, Kenneth Reid: "Eliel Saarinen – Master of Design" (ulko- ja sisäkuva). *Suomen Kuvalehti* 31/1946, Eila Jokela: "Eliel Saarinen. Humanisti ja rakentaja" (ulkokuva). Albert Christ-Janer: *Eliel Saarinen,* Chicago 1948, Helsinki 1951, Chicago and London 1979 (julkisivu, asemapiirros, ulko- ja sisäkuvia). *Lucifer 1950,* Frans Nyberg: "Minnen från Hvitträsk" (F.Nybergin piirros, ulko- ja sisäkuvia). *Arkkitehti-Arkitekten* 5/1955, J.S.Sirén: "Eliel Saarinen" (ulko- ja sisäkuva). *Suomen Kuvalehti* 23/1955, Otto-I.Meurman: "Hvitträskin taiteilijakoti. Muistelmia Eliel Saarisesta" (ulkokuva). *Casabella* 211/1956, Vittoria Calzolari: "Eliel Saarinen architetto finlandese" (julkisivu, ulko- ja sisäkuvia). *Kaunis Koti* 6/1958, "Hvitträsk" (ulko- ja sisäkuvia). Nils Erik Wickberg: *Suomen rakennustaidetta,* Helsinki 1959, *Byggnadskonst i Finland,* Helsingfors 1959, *Finnish Architecture,* Helsinki 1962, *Finnische Baukunst,* Helsinki 1963 (julkisivu, asemapiirros, ulko- ja sisäkuvia). *Perspecta 9–10/1965,* Henry-Russell Hitchcock: "Aalto Versus Aalto: The Other Finland" (julkisivu). *Arkkitehti-Arkitekten* 10–11/1965, Henry-Russell Hitchcock: "Aalto versus Aalto: toinen Suomi". *The New York Times* 13.2.1966, Section 6, Ada Louise Huxtable: "A House That Belongs To History" (ulko- ja sisäkuvia). *The Architectural Review* 828/1966, J.M.Richards: "Hvitträsk" (asemapiirros, ulkokuvia). *Svenska Dagbladet* 1.6.1966, Ulf Hård af Segerstad: "Konstnärsborgen blev nationalsymbol" (ulko- ja sisäkuva). *Suomen Kuvalehti* 15/1967, Kustaa Vilkuna: "Hvitträsk on vaarassa" (ulko- ja sisäkuvia). *Form 6/1967,* Ulf Hård af Segerstad: "Hvitträsk, monument över en epok" (ulko- ja sisäkuvia). *Arkkitehti* 9/1967, Marika Hausen: "Gesellius–Lindgren–Saarinen vid sekelskiftet" – "Gesellius–Lindgren–Saarinen at the turn of the century" (leikkaus, ulkokuva). *Taide* 1/1970, Otto-I.Meurman: "Sitä työpaikkaa en unohda koskaan" (ulko- ja sisäkuvia). Kai Linnilä: *Helsingin seudun historiallisesti ja rakennustaiteellisesti arvokkaat rakennukset ja alueet,* Helsingin seutukaavaliitto, Helsinki 1970. Anelma Vuorio: *Kaksikymmentä vuotta Hvitträskin tähden,* Helsinki 1971 (ulko- ja sisäkuvia). *Arkkitehti* 8/1971, "Entisöity ja uusittu Hvitträsk" – "Hvitträsk har renoverats" – "Hvitträsk restored" sekä Otto-I.Meurman: "Vanha Hvitträsk – luovan hengen monumentti ja arkkitehtien koti" (pohjat ja asemapiirros v:lta 1971, ulko- ja sisäkuvia). *Finskt 1900* (näyttelyluettelo–utställningskatalog), Helsingfors 1971, kirj. mm. Raija-Liisa Heinonen ja Marika Hausen (ulko- ja sisäkuvia). *Connaissance des Arts* 238/1971, "La Maison – Temoin du 1900 Finlandais" (ulko- ja sisäkuvia). *Finnland 1900* (Ausstellungskatalog), Nürnberg 1973, *Finlande 1900* (catalogue de l'exposition), Bruxelles 1974, kirj. mm. Kyösti Ålander, [Raija-Liisa Heinonen] ja Marika Hausen (ulkokuva, kuvia huonekaluista). *Supesu Dezain* (Space Design) 133/1975, Takashi Asada: "Vitruusku – kohan no kyodo-studio" (julkisivu, asemapiirros, ulko- ja sisäkuvia). John Boulton Smith: *The Golden Age of Finnish Art,* Helsinki 1976 (ulko- ja sisäkuva). *Taidehistoriallisia tutkimuksia – Konsthistoriska studier 3,* Helsinki 1977, Marika Hausen: "The Helsinki Railway Station in Eliel Saarinen's first versions 1904" (ulkokuva). J.M.Richards: *800 years of Finnish Architecture,* Newton Abbot 1978 (asemapiirros, ulko- ja sisäkuvia). Ritva Tuomi: *Erämaaateljeet – Studios in the Wilds* (näyttelyluettelo – exhibition catalogue), [Helsinki 1979] (julkisivu, ulko- ja sisäkuvia). *Abacus. Suomen rakennustaiteen museo. Vuosikirja 1979 – Museum of Finnish Architecture.*

and interior pictures). Hemma och Ute *17/1913 (exterior pictures).* Eliel Saarinen: Munkkiniemi–Haaga in Suur–Helsinki. Tutkimuksia ja ehdotuksia kaupunkijärjestelyn alalta, *Helsinki 1915,* Munksnäs-Haaga och Stor–Helsingfors, Stadsplansstudier och förslag, *Helsingfors 1915 (exterior pictures).* Veckans Krönika *38/1915,* G[unnar] T[akolander]: "Villor vid Hvitträsk" *(exterior picture).* Joulutunnelma 1915, Helmi Krohn: "Eliel Saarisen luona" *(exterior picture).* Arkitekten *III/1916,* B[irger] B[runila]: "Herman Gesellius" *(interior pictures).* Kulkuset 1920, Otto-I.Meurman: "Eliel Saarinen" *(exterior and interior pictures).* Suomalaisia koteja, *Porvoo 1921 (exterior and interior pictures).* Suomen Kuvalehti *30/1922, "Valitettava tulipalo" (exterior picture taken before and after fire).* Veckans Krönika *45–46/1922, "Hos Saarinen i Hvitträsk" (exterior and interior pictures).* The American Architect — The Architectural Review *26.9.1923 (exterior and interior pictures).* Het Bouwbedrijf *10/1925, C.Lindberg: "Bouwkunst en bouwwezen in Finland" (exterior picture).* J.G.Wattjes: Moderne Architectuur, *Amsterdam 1927 (exterior picture).* Suomen Kuvalehti *28/1928, Rita Vikman: "Eräs koti" (exterior and interior pictures).* Arkkitehti *and* Arkitekten *10/1929, Bertel Jung – Rafael Blomstedt: "Armas Lindgren in memoriam" (Armas Lindgren's drawing).* Deutsch-nordische Zeitschrift, *Festnummer 1929, Johannes Öhquist: "Eliel Saarinen, ein finnischer Baukünstler" (exterior picture).* Aamu *10/1929, Johannes Öhquist: "Eliel Saarinen. Kuuluisin Suomen taiteilijoista" (exterior and interior pictures).* Johannes Öhquist: Samtida konst i Finland, *Malmö 1929,* Neuere bildende Kunst in Finnland, *Helsingfors 1930 (exterior pictures).* Nordens kalender 1936, *Göteborg 1935, Gustaf Strengell: "Eliel Saarinen – skyskrapans nydanare" (exterior picture).* Pencil Points, *September 1936, Kenneth Reid: "Eliel Saarinen – Master of Design" (exterior and interior picture).* Suomen Kuvalehti *31/1946, Eila Jokela: "Eliel Saarinen. Humanisti ja rakentaja" (exterior picture).* Albert Christ-Janer: Eliel Saarinen, *Chicago 1948, Helsinki 1951, Chicago and London 1979 (elevation, site plan, exterior and interior pictures).* Lucifer 1950, Frans Nyberg: "Minnen från Hvitträsk" *(drawing by Frans Nyberg, exterior and interior pictures).* Arkkitehti—Arkitekten *5/1955, J.S.Sirén: "Eliel Saarinen" (exterior and interior pictures).* Suomen Kuvalehti *23/1955, Otto-I.Meurman: "Hvitträskin taiteilijakoti. Muistelmia Eliel Saarisesta" (exterior pictures).* Casabella *211/1956, Vittoria Calzolari: "Eliel Saarinen architetto finlandese" (elevation, exterior and interior pictures).* Kaunis Koti *6/1958, "Hvitträsk" (exterior and interior pictures).* Nils Erik Wickberg: Suomen rakennustaidetta, *Helsinki 1959,* Byggnadskonst i Finland, *Helsingfors 1959,* Finnish Architecture, *Helsinki 1962,* Finnische Baukunst, *Helsinki 1963 (elevation, site plan, exterior and interior pictures).* Perspecta *9–10/1965, Henry-Russell Hitchcock: "Aalto Versus Aalto: The Other Finland" (elevation).* Arkkitehti—Arkitekten *10–11/1965, Henry-Russell Hitchcock: Aalto versus Aalto: toinen Suomi".* The New York Times *13.2.1966, Section 6, Ada Louise Huxtable: "A House That Belongs To History" (exterior and interior pictures).* The Architectural Review *828/1966, J.M.Richards: "Hvitträsk" (site plan, exterior pictures).* Svenska Dagbladet *1.6.1966, Ulf Hård af Segerstad: "Konstnärsborgen som blev nationalsymbol" (exterior and interior picture).* Suomen Kuvalehti *15/1967, Kustaa Vilkuna: "Hvitträsk on vaarassa" (exterior and interior picture).* Form *6/1967, Ulf Hård af Segerstad: "Hvitträsk, monument över en epok" (exterior and interior pictures).* Arkkitehti *9/1967, Marika Hausen: "Gesellius–Lindgren–Saarinen vid sekelskiftet" – "Gesellius–Lindgren–Saarinen at the turn of the century" (sectional drawing, exterior picture).* Taide *1/1970, Otto-I.Meurman: "Sitä työpaikkaa en unohda koskaan" (exterior and interior pictures).* Kai Linnilä:

121

Yearbook 1979, [Helsinki 1979], Ritva Tuomi: "Kansallisen tyylin etsimisestä" – "On search for a national style" (julkisivu, ulko- ja sisäkuvia). Peter Davey: *Arts and Crafts Architecture: The Search for Earthly Paradise*, London 1980 (ulkokuva). Luciano Rubino: *Aino e Alvar Aalto. Tutto il design*, Roma 1980 (ulko- ja sisäkuvia). Sirkka Kopisto: *Suomen kansallismuseo. Kansallisromanttisen kauden rakennusmonumentti*, Helsinki 1981 (ulko- ja sisäkuva). Kai Linnilä: *Suomalaisia taiteilijakoteja*, Jyväskylä 1982 (julkisivu, ulko- ja sisäkuvia). Malcolm Quantrill: *Alvar Aalto. A critical study*, Helsinki 1983 (julkisivu). *Häuser* 2/1983, Frances Krebs: "Hvitträsk: das 'Haus der Architekten'" (ulko- ja sisäkuvia). *Schöner Wohnen* 8/1983, Frances Krebs: "Harmonie war sein Leitmotiv" (ulko- ja sisäkuvia). *Saarinen Suomessa – Saarinen in Finland* (näyttelyluettelo – exhibition catalogue), Helsinki 1984, Marika Hausen: "Kansallisesta kansainväliseen" – "From the National to the International" (julkisivu, leikkauksia, pohja, A. Lindgrenin? ja E. O. W. Ehrströmin piirrokset, ulko- ja sisäkuvia, kuvia huonekaluista, ym). Anna-Lisa Amberg: *Saarisen sisustustaide – Saarinen's Interior Design* (näyttelyluettelo – exhibition catalogue), Helsinki 1984 (sisäkuvia, kuvia huonekaluista, ym). *Helsingin Sanomat* 27.9.1985, Mikael Merenmies: "Polkeeko nykyaika Hvitträskin jalkoihinsa?" (ulko- ja sisäkuvia). *Muoto* 2/1986, Igor Herler: "Hvitträsk – arkeologiaa ja arviointia" – "Hvitträsk - Archeologie und Bewertung" (asemapiirros, sisäperspektiivi, A. Lindgrenin? ja E. O. W. Ehrströmin piirrokset, ym).

E. Saarisen litografia eteläsiiven olohuoneesta oli esillä arpajaisnäyttelyssä Helsingissä v. 1908[100] ja valokuvia tai piirustuksia Hvitträskistä Leipzigin kansainvälisessä rakennusalan näyttelyssä v. 1913.[101]

Piirustukset: *Hvitträsk, Kirkkonummi:* kuusi päärakennuksen laveerattua pääpiirustusta [v:lta 1902?] (julkisivut ja leikkauksia), kaksi [E. Saarisen] sisäperspektiiviä eteläsiiven ruokasalista [v:lta 1902(?)]. *Suomen rakennustaiteen museo, Helsinki:* päärakennuksen laveerattu pääpiirustus [v:lta 1902?] (leikkauksia), A. Lindgrenin tekemiä päärakennuksen pohjoissiiven pohja-, torni- ja perspektiiviharjoitelmia [v:ilta 1901–03?], [E. Saarisen] lyijyllä tekemä päärakennuksen julkisivupiirustus [n. v:lta 1907(?)], valokuva asemapiirroksesta [n. v:lta 1907(?)], [E. Saarisen] tekemä laajennusehdotuksen pohjapiirustus [1920-luvulta(?)], Eero Saarisen tekemiä päärakennuksen uudisosan piirustuksia (kaksi julkisivuluonnosta [v:lta 1928], kopiot kahdesta julkisivupiirustuksesta v:lta 1928 sekä ovi- ja ikkunapiirustus v:lta 1929), J. Eklundin tekemä sivurakennuksen kylpyhuonepiirustus v:lta 1932, kaksi Eero Saarisen talli- ja liiteripiirustusta v:ilta 1936–37. *Märta Rosenström, Lohja:* kaksi Eero Saarisen harjoitelmaa päärakennuksen uudisosaksi [v:lta 1928(?)] (ulkoperspektiivi ja pohja). *Sis.arkkit. Marke Niskala-Luostarisen toimisto, Helsinki:* pihapiirin ja päärakennuksen mittaus- ja muutospiirustuksia v:ilta 1969–71. *Arkkit. Aino ja Pekka Laurilan toimisto, Helsinki:* sivurakennuksen ja taloussiiven mittaus- ja muutospiirustuksia v:ilta 1969–71.

Lähdeviitteet: 1. Alkuperäinen palsta ostettiin v. 1901. Myöhemmin E. Saarinen laajensi aluetta hankkimalla omistukseensa viereisiä palstoja; v. 1907 ostettiin 'Furunäs' (RN:o 9:2) ja 'Furunäsäng' (RN:o 9:3) sekä v. 1912 'Marievik II' (RN:o 1:12). *Lainhuudatusasiain pöytäkirjat,* 4.9.1902 §11, 5.2.1909 §32 ja 12.9.1913 §82, *Lohjan tuomiokunnan arkisto, Hämeenlinnan maakunta-arkisto (HMA).* **2.** Kuvaus perustuu arkkitehti Igor Herlerin v. 1985 tekemään rekonstruktioon, jossa lähteinä ovat olleet: *A. Lindgrenin luonnoskirjassa n:o 30 oleva pihapiiriharjoitelma [v:lta 1901(?)], Suomen rakennustaiteen museo, Helsinki (SRM); päärakennuksen julkisivu- ja leikkauspiirustukset, Hvitträsk ja SRM; ulkokuva [talvelta 1902–03], rak.mestari Per-Olof Gyldén, Kirkkonummi; ulkokuvat [kesältä 1902], A. Lindgrenin jäämistö, SRM.* **3.** On epäselvää, milloin hirsipinnat käsiteltiin ensimmäisen kerran ja millä aineella; 1920-luvulla käytettiin joka

Helsingin seudun historiallisesti ja rakennustaiteellisesti arvokkaat rakennukset ja alueet, *Helsingin seutukaavaliitto, Helsinki 1970. Anelma Vuorio:* Kaksikymmentä vuotta Hvitträskin tähden, *Helsinki 1971 (exterior and interior pictures).* Arkkitehti 8/1971, "Entisöity ja uusittu Hvitträsk" – "Hvitträsk har renoverats" – "Hvitträsk restored" *and Otto-I. Meurman:* "Vanha Hvitträsk – luovan hengen monumentti ja arkkitehtien koti" *(plan drawings and site plan of 1971, exterior and interior pictures).* Finskt 1900 *(exhibition catalogue in Finnish and in Swedish),* Helsingfors 1971, *with contributions by Raija-Liisa Heinonen, Marika Hausen et al. (exterior and interior pictures).* Connaissance des Arts 238/1971, "La Maison – Témoin du 1900 Finlandais" *(exterior and interior pictures).* Finnland 1900 *(exhibition catalogue in German),* Nürnberg 1973, Finlande 1900 *(exhibition catalogue in French),* Bruxelles 1974, *with contributions by Kyösti Ålander,* [Raija-Liisa Heinonen] *and Marika Hausen (exterior picture, pictures of furniture).* Supesu Dezain *(Space Design) 133/1975, Takashi Asada:* "Vitruusku – kohan no kyodo-studio" *(elevation, site plan, exterior and interior pictures).* John Boulton Smith: The Golden Age of Finnish Art, *Helsinki 1976 (exterior and interior picture).* Taidehistoriallisia tutkimuksia—Konsthistoriska studier 3, *Helsinki 1977, Marika Hausen:* "The Helsinki Railway Station in Eliel Saarinen's first versions 1904" *(exterior picture).* J. M. Richards: *800 years of Finnish Architecture, Newton Abbot 1978 (site plan, exterior and interior picture).* Ritva Tuomi: *Erämaa-ateljeet – Studios in the Wilds (exhibition catalogue),* [Helsinki 1979] *(elevation, exterior and interior pictures).* Abacus. Suomen rakennustaiteen museo. Vuosikirja 1979 — Museum of Finnish Architecture. Yearbook 1979, *[Helsinki 1979], Ritva Tuomi:* "Kansallisen tyylin etsimisestä" – "On search for a national style" *(elevation, exterior and interior pictures).* Peter Davey: *Arts and Crafts Architecture: The Search for Earthly Paradise, London 1980 (exterior picture).* Luciano Rubino: *Aino e Alvar Aalto. Tutto il design, Roma 1980 (exterior and interior pictures).* Sirkka Kopisto: *Suomen kansallismuseo. Kansallisromanttisen kauden rakennusmonumentti, Helsinki 1981 (exterior and interior picture).* Kai Linnilä: *Suomalaisia taiteilijakoteja, Jyväskylä 1982 (elevation, exterior and interior pictures).* Malcolm Quantrill: *Alvar Aalto. A critical study, Helsinki 1983 (elevation).* Häuser 2/1983, Frances Krebs: "Hvitträsk: das Haus der Architekten" *(exterior and interior pictures).* Schöner Wohnen 8/1983, Frances Krebs: "Harmonie was sein Leitmotiv" *(exterior and interior pictures).* Saarinen Suomessa — Saarinen in Finland *(exhibition catalogue in Finnish and in English), Helsinki 1984, Marika Hausen:* "Kansallisesta kansainväliseen" – "From the National to the International" *(elevation, sections, plan drawing, drawings by A. Lindgren? and E. O. W. Ehrström, exterior and interior pictures, pictures of furniture, etc.).* Anna-Lisa Amberg: *Saarisen sisustustaide — Saarinen's Interior Design (exhibition catalogue in Finnish and in English), Helsinki 1984 (interior pictures, pictures of furniture, etc.).* Helsingin Sanomat 27.9.1985, Mikael Merenmies: "Polkeeko nykyaika Hvitträskin jalkoihinsa?" *(exterior and interior pictures).* Muoto 2/1986, Igor Herler: "Hvitträsk – arkeologiaa ja arviointia" – "Hvitträsk – Archeologie und Bewertung" *(site plan, interior perspective, drawings by A. Lindgren? and E. O. W. Ehrström, etc).*

Eliel Saarinen's lithography of the south wing living room was on show at a lottery exhibition in Helsinki during 1908[100] *and photographs or drawings of Hvitträsk at the Leipzig International Building Fair in 1913.*[101]

Drawings: *Hvitträsk, Kirkkonummi: six design wash drawings of the main building [from 1902?] (elevations and sections); two perspective wash drawings of the south wing dining room [by E. Saarinen,*

tapauksessa ruskeaa 'karbolineum'-sivelyä. Kuvaus perustuu arkkit.Igor Herlerin v. 1985 tekemään rekonstruktioon, jossa lähteinä ovat olleet: *päärakennuksen julkisivu- ja leikkauspiirustukset, Hvitträsk ja SRM; A.Lindgrenin. akvarelli [v:lta 1904?], Jaakko Rahola, Espoo; ulkokuva [talvelta 1904–05?], A.Lindgrenin jäämistö, SRM; varhaisimmat julkaistut ulkokuvat, esim. Moderne Bauformen 4/1907; Loja Saarisen kirje Rita ja Johannes (Giovanni) Öhquistille 6.9.1928, J.Öhquistin kokoelma, Helsingin yliopiston kirjasto (J.Öhq.kok./HYK).* Vihjeen kokoelmaan sisältyvästä kirjeenvaihdosta antanut fil.tri Eljas Siro. **4.** Kuvaus perustuu arkkit.Igor Herlerin v.1985 tekemään rekonstruktioon, jossa lähteinä ovat olleet: *ulkokuvat [kesältä 1902], A.Lindgrenin jäämistö, SRM; ulkokuva [n.v:lta 1905?], sign.84/1179, SRM; I.H:n rakennusarkeologinen tutkimus kesällä 1985.* **5.** Kuvaus perustuu arkkit.Igor Herlerin v.1985 tekemään rekonstruktioon, jossa lähteinä ovat olleet: *päärakennuksen julkisivu- ja leikkauspiirustukset, Hvitträsk; eriaikaiset ulko- ja sisäkuvat, pääosa SRM:ssä ja julkaisuissa (ks. Esittelyt, arvioinnit); mittaus- ja muutospiirustukset v:ilta 1970–71, sis.arkkit.Marke Niskala-Luostarisen toimisto, Helsinki; Helsingin raastuvanoikeuden (Hel.Ro) IV:n osaston riita-asiain tuomiokirja, 24.4.1906 §9, Valtionarkisto, Helsinki (VA); Anelma Vuorio: Kaksikymmentä vuotta Hvitträskin tähden, Helsinki 1971, s. 104–105, 114–117; I.H:n rakennusarkeologinen tutkimus kesällä 1985.* **6.** Kuvaus perustuu arkkit.yo Tytti Valton v.1985 tekemään rekonstruktioon, jossa lähteinä ovat olleet: *päärakennuksen julkisivu- ja leikkauspiirustukset, Hvitträsk ja SRM; eriaikaiset ulko- ja sisäkuvat, pääosa SRM:ssä ja julkaisuissa (ks. Esittelyt, arvioinnit); mittaus- ja muutospiirustukset v:ilta 1970–71, sis.arkkit.Marke Niskala-Luostarisen toimisto, Helsinki; Hel.Ro:n IV:n osaston riita-asiain tuomiokirja, 3.8.1906 §11, VA; L.Saarisen kirje J.Öhquistille 11.5.1929, J.Öhq.kok./HYK.* **7.** Kuvaus perustuu arkkit.Igor Herlerin v.1985 tekemään rekonstruktioon, jossa lähteinä ovat olleet: *päärakennuksen julkisivu- ja leikkauspiirustukset, Hvitträsk; eriaikaiset ulko- ja sisäkuvat, SRM; I.H:n rakennusarkeologinen tutkimus kesällä 1985.* **8.** Asunnoissa ei ilmeisesti alun perin ollut kylpyhuoneita eikä WC-tiloja. Kuvaus perustuu arkkit.yo Tytti Valton v.1985 tekemään rekonstruktioon, jossa lähteinä ovat olleet: *eriaikaiset ulkokuvat, SRM; mittaus- ja muutospiirustukset v:ilta 1969–70, arkkit.Aino ja Pekka Laurilan toimisto, Helsinki; L. Saarisen kirje R.ja J.Öhquistille 31.1.1927, J.Öhq.kok./HYK; autoilija Lars Sandholmin haastattelu 26.3.1985* (asunut sivurakennuksessa v.1930–44); *arkkit.Igor Herlerin tarkistusmittaukset kesällä 1985.* **9.** Vesijohtolaitteista olevan hajanaisen tiedon perusteella on vaikea päätellä, miten vedensaanti on kulloinkin hoidettu. Aluksi Hvitträskissä oli kivihiilipolttoinen höyrypumppu, joka oli nähtävästi sijoitettu päärakennuksen pohjoiskulmaan. Mikäli se oli ainoa, vesi on otettu pihakaivosta, koska ylhäällä oleva pumppu ei kykene nostamaan vettä järvestä asti. Ainakin myöhemmin rannalla olikin erillinen pumppuhuone ja vesi otettiin järvestä. *Hel.Ro:n IV:n osaston riita-asiain tuomiokirjat, 20.3.1906 §11, 24.4.1906 §9, 22.5.1906 §17, 3.8.1906 §11, 31.8.1906 §11, 23.10.1906 §15, VA; L. Saarisen ja J. Öhquistin välinen kirjeenvaihto v.1927–38, J.Öhq.kok./HYK.* **10.** *Adress- och yrkeskalender för Helsingfors jämte förorter 1903–04, Helsingfors 1903.* **11.** *Varhaiset sisäkuvat, SRM.* **12.** Saaristen tuolloisessa Helsingin asunnossa, Eläintarhan huvila n:o 11:ssä, tehtiin vielä kesällä 1911 remonttia. 'Marievikin' palstaa koskeva kauppakirja allekirjoitettiin 1.11.1901. *Selma Saarisen kirje Hannes Saariselle 1.7.1901, Inkeri ja Kaija Saarinen, Helsinki; lainhuudatusasiain pöytäkirja, 4.9.1902 §11, Lohjan tuomiokunnan arkisto, HMA.* **13.** Jäljellä olevat päärakennuksen pääpiirustukset eivät ole signeerattuja eivätkä päivättyjä. **14.** Hj.Lindroos (1876–1909) oli ollut rakennusmestarina jo toimiston suunnitteleman 'Fast.ab Olofsborgin' työmaalla. *Suomen rakennusmestarien albumi-matrikkeli I, toim. E.Ikäläinen, Helsinki 1907, s. 197–198.* **15.** *Hel.Ro:n IV:n osaston riita-asiain tuomiokirja, 19.9.1902 §2, VA.* **16.** K.Hoffman (1875–1934) teki kirvesmiehen ja puusepän töitä Hvitträskissä kuolemaansa asti. *Tyttären, rouva Karin Grizkevitschin haastattelu 11.3.1985; L.Saarisen kirje Artur Sandholmille 12.4.1935, Lars Sandholm, Kirkkonummi.* **17.** Valtaosa oli irtokaakeleista tehtyjä yksilöllisiä uuneja, vain muutama oli toimiston suunnittelemia standardimalleja. Tallella oleviista irtokaakeleissa leima 'W.Andsten, H:fors'. *Arkkit. Igor Herlerin rakennusarkeologinen tutkimus kesällä 1985; Saaristen(?) aikainen sisäkuva pohjoissiiven kolmannen kerroksen huoneesta, Cranbrook Academy of Art/Museum, USA; Wilh. Andstens fabriks-aktiebolag – Wilh. Andstenin tehdas-osakeyhtiö (myyntiluettelo), Helsingfors 1903, s. 13, 53.* **18.** Toiminimi teki kuparitöitä myös toimiston suunnittelemaan Suur-Merijoen tilan päärakennukseen. Uuninluukuissa leima 'Hj.H.Kasten, H:fors'. **19.** A.Hartman (1871–1933) teki kirvesmiehen töitä Hvitträskin myös myöhemmin. *Tyttären, rouva Elsa Salmikarin haastattelu 19.3.1985.* **20.** Toiminimi teki myös Suur-Merijoen tilan päärakennuksen vesijohto- ja viemäröintityöt. *Hel.Ro:n IV:n osaston riita-asiain tuomiokirja, 24.4.1906 §9, VA.* **21.** Suomessa ei vielä tuohon aikaan

from 1902(?)]. Museum of Finnish Architecture, Helsinki: *design wash drawing of the main building [from 1902?] (sections); sketch plan, tower and perspective sketches of the north wing of the main building by A. Lindgren [from 1901–03?]; [Eliel Saarinen's] pencil elevation drawing of the main building [from c.1907(?)]; photograph of site plan [from c.1907(?)], [Eliel Saarinen's] plan drawing of proposed extension [from 1920s(?)]; Eero Saarinen's drawings of new work on the main building (two elevation sketches [from 1928], copies of two elevation drawings from 1928, and a door and window detail drawing from 1929); Jarl Eklund's drawing from 1932 of bathroom in the smaller building; two drawings by Eero Saarinen from 1936–37 of the stable and sheds.* Märta Rosenström, Lohja: *two sketches by Eero Saarinen of new work on the main building [from 1928(?)] (exterior perspective and plan drawing).* Office of Marke Niskala-Luostarinen, interior architect, Helsinki: *measured drawings and alteration drawings of the courtyard, gardens and main building from 1969–71.* Office of Aino and Pekka Laurila, architects, Helsinki: *measured drawings and alteration drawings of the smaller building and the domestic wing from 1969–71.*

Notes and sources: **1.** *The original plot was bought in 1901. Eliel Saarinen later added to it by purchasing the adjacent plots: 'Furunäs' (Reg.no. 9:2) and 'Furunäsäng' (Reg. no. 9:3) in 1907 and 'Marievik II' (Reg.no. 1:12) in 1912. Minutes confirming legal possession, 4.9.1902 §11, 5.2.1909 §32 and 12.9.1913 §82, Judicial district archives of Lohja, Provincial Archives of Hämeenlinna (hereafter referred to as PAH).* **2.** *Description is based on a reconstruction made in 1985 by Igor Herler, architect, from the following sources: draft sketch of the buildings and courtyard [from 1901(?)] in Armas Lindgren's sketchbook no. 30, Museum of Finnish Architecture, Helsinki (hereafter referred to as MFA); elevations and sections of the main building, Hvitträsk and MFA; exterior photograph [from winter 1902–03], Per-Olof Gyldén, master building foreman, Kirkkonummi; exterior photographs [from summer 1904], effects of Armas Lindgren, MFA.* **3.** *It is uncertain when the exposed log surfaces were treated for the first time and what preservative was used; a brown carboline um at any rate was brushed on during the 1920s. Description is based on a reconstruction made in 1985 by Igor Herler, architect, from the following sources: elevations and sections of the main building, Hvitträsk and MFA; a watercolour [from 1904?] by Armas Lindgren?, Jaakko Rahola, Espoo; exterior photograph [from winter 1904–05?], effects of A. Lindgren, MFA; earliest published exterior pictures, e.g. Moderne Bauformen 4/1907; letter from Loja Saarinen to Rita and Johannes (Giovanni) Öhquist 6.9.1928, J.Öhquist Collection, Helsinki University Library (hereafter referred to as JÖC/HUL). Eljas Siro Ph.D. indicated that the collection included the above correspondence.* **4.** *Description is based on a reconstruction made in 1985 by Igor Herler, architect, from the following sources: exterior photographs [from summer 1902], effects of A.Lindgren, MFA; exterior photograph [from c.1905?], sign. 84/1179, MFA; building archaeology survey by Igor Herler, architect, summer 1985.* **5.** *Description is based on a reconstruction made in 1985 by Igor Herler, architect, from the following sources: elevations and sections of the main building, Hvitträsk; exterior and interior photographs from various periods, mainly in MFA and in publications (see above Presentations, reviews); measured drawings and alteration drawings from 1970–71, office of Marke Niskala-Luostarinen, interior architect, Helsinki; civil case judgment book of the City Court of Helsinki (hereafter referred to as CCH), section IV, 24.4.1906 §9, National Archives, Helsinki (hereafter referred to as NA); Anelma Vuorio: Kaksikymmentä vuotta Hvitträskin tähden, Helsinki 1971, pp. 104–105, 114–117; building archaeology survey by Igor Herler, architect, summer 1985.* **6.** *Description is based on a reconstruction made in 1985 by Tytti Valto, architectural student, from the following sources: elevations and sections of the main building, Hvitträsk and MFA; exterior and interior photographs from various periods, mainly in MFA and in publications (see above Presentations, reviews); measured drawings and alteration drawings from 1970–71, office of Marke Niskala-Luostarinen, interior architect, Helsinki; civil case judgment book of CCH, section IV, 3.8.1906 §11, NA; letter from Loja Saarinen to Johannes Öhquist 11.5.1929, JÖC/HUL.* **7.** *Description is based on a reconstruction made in 1985 by Igor Herler, architect, from the following sources: elevations and sections of the main building, Hvitträsk; interior photographs from various periods, MFA;*

valmistettu kattotiiliä. Kahdessa tallella olevassa alkuperäistiilessä ei kuitenkaan ole mitään valmistajan leimaa. Päärakennuksen nykyiset, ilmeisesti 1950-luvulta peräisin olevat tiilet ovat osaksi 'O.Y.Keramia A.B:n', osaksi 'Kupittaan Saviosakeyhtiön' tekemiä. *Tietosanakirja IV, Helsinki 1912, s.539–540; arkkit.Igor Herlerin rakennusarkeologinen tutkimus kesällä 1985.* **22.** Toimisto osti 22.3.1902 kivien nostolaitteen ja väkipyörän suunnittelemansa 'Fast.ab Olofsborgin' työmaalta. *Tosite, Bost.ab Olofsborg, Helsinki.* **23.** *E.Saarisen kirje vanhemmilleen 6.8.1902, Sirkka Järnefelt (os. Saarinen), Mäntyharju.* **24.** Ajoitusperusteena on käytetty maaliskuussa 1903 aloitettujen vesijohto- ja viemäröintitöiden valmistumista toukokuussa 1903. *Hel.Ro:n IV:n osaston riita-asiain tuomiokirja, 24.4.1906 §9 ja 22.5.1906 §17, VA.* **25.** *E.Saarisen kirje vanhemmilleen 6.8.1902, S.Järnefelt, Mäntyharju; Fyren, joulunumero 1902, s. 6, Albert G[ebhar]d: "Tre".* **26.** Ensimmäisen kerran kaikkien osoitteena on 'Masaby station, Hvitträsk' v.1903 painetussa osoitekalenterissa; kirkonkirjoihin Lindgrenin muuttopäiväksi on merkitty 25.1.1904, Geselliuksen ja Saarisen taas 14.6.1904. *Adress- och yrkeskalender för Helsingfors jämte förorter 1903–04, Helsingfors 1903; kirkonkirjat, Kirkkonummen seurakuntien arkisto.* **27.** Mathilda oleskeli tuolloin Franzensbadissa Itävalta–Unkarissa. *E.Saarisen kirje vanhemmilleen 6.6.1903, S.Järnefelt, Mäntyharju.* **28.** Mathilda oleskeli tuolloin avioeron saamiseksi Berliinissä, ero myönnettiin 2.12.1903/21.1.1904. *Hel.Ro:n III:n osaston riita-asiain tuomiokirja, 2.12.1903 §10, VA; erokirjakonsepti n:o 5 v:lta 1904, Porvoon hiippakunnan tuomiokapitulin arkisto, VA.* **29.** Hvitträskissä 20.8.1903 päivätyssä valtakirjassa on todistajana L.Gesellius. *Avioerokirja-anomus [n:o 1] v:lta 1904, liite, Porvoon hiippakunnan tuomiokapitulin arkisto, VA; A. Christ-Janer: Eliel Saarinen, Chicago 1948, s.15.* **30.** *Helsingin ev.-lut. seurakuntien seurakuntayhtymän keskusrekisteri.* **31.** *A.Lindgrenin kirje Bertha Helanderille 24.12.1904, SRM.* **32.** Toimiston nimi säilyi käytössä vielä vuoden 1905 loppuun asti, vaikka toimiston töistä (Kansallismuseota lukuun ottamatta) sekä saatavista ja veloista vastasivatkin vuoden alusta alkaen pelkästään H.Gesellius ja E.Saarinen. Palstaa ja rakennuksia koskeva kauppa tehtiin uudestaan virallisemmin 13.9.1915. *'Kontrakt 5.12.1905', fil.tri R.Nikulan tekemä jäljennös Lindgren-suvun hallussa olevasta originaalista; lainhuudatusasiain pöytäkirja, 16.9.1915 §68, Lohjan tuomiokunnan arkisto, HMA.* **33.** J.Eklund (1876–1962) oli töissä 'Gesellius, Lindgren, Saarisella' todennäköisesti v.1902–05. *A.Lindgrenin kirje Bertha Helanderille 24.12.1904, SRM; sisäkuvat [v:lta 1905] päärakennuksen pohjoissiivessä olleesta J.Eklundin kodista, sign. 84/1253, 1254 ja 1258, SRM; sisäkuva v:lta 1905 sivurakennuksessa olleesta J.Eklundin kodista, mainospäällikkö Olof Jarl Eklund, Helsinki.* **34.** *Lainhuudatusasiain pöytäkirja, 8.9.1916 §41, Lohjan tuomiokunnan arkisto, HMA.* **35.** 'Arkkit.toimisto E.Saarinen' oli suunnitellut A.Hjeltille (1885–1945) mm. tämän Helsingin-asunnan muutostyöt v.1916. *Karin Nybergin kirje äidilleen 20.7.1922, arkkit. Ragnar Nyberg, Parainen; L.Saarisen kirje Rita Öhquistille 14.10.1928, J.Öhq.kok./HYK.* **36.** Puutarhurina toimi Karl Anderson (1876–1948). *Tyttären, rouva Anna-Liisa Hjeltin haastattelu 27.3.1985; Kirkkonummen pitäjän henkikirjat v.1920, 1921 ja 1922 (U389, U400 ja U413), VA.* **37.** *L.Saarisen kirjeet J.Öhquistille 15.3.[1923] ja 17.10.1923, J.Öhq.kok./ HYK.* **38.** Polyteknillisessä opistossa v.1905 arkkitehtiopinnot aloittanut Einar Saarinen (1885–1936) asui ainakin syksyn 1908 Hvitträskissä. Juho Saarinen (1846–1920) muutti Hvitträskiin erottuaan Pietarin suomalaisen seurakunnan kirkkoherran virasta v.1918. Kotiopettajattarena oli v.1913–14 saksalainen neiti Hulda Collatz (1889–19?). *Prof. Otto-I.Meurmanin haastattelu 24.11.1982 (töissä E.Saarisella v.1914–15 ja 1917); Suomen teknillisen korkeakoulun luettelo syyslukukaudella 1908, Helsinki 1908, s. 22; L.Saarisen kirje Selma Saariselle 6.7.1908, S.Järnefelt, Mäntyharju; veljentyttärien Inkeri ja Kaija Saarisen haastattelu 26.3.1985; Edith Aminoffin kirje Frans Nybergille 15.12.1913, Ragnar Nyberg, Parainen; Kirkkonummen pitäjän henkikirjat v.1914 (U307), VA.* **39.** Vuonna 1906 J.Eklundilla oli jo Helsingin osoite. *Sisäkuva v:lta 1905 sivurakennuksessa olleesta J.Eklundin kodista, O.J.Eklund, Helsinki; Adressbok och yrkeskalender för Helsingfors 1906–07, Helsingfors 1906.* **40.** E.O.W.Ehrström (1881–1934) ja O.Gummerus-Ehrström (1876–1938) olivat henkikirjoitettuina Hvitträskissä ensimmäisen kerran v.1907 ja v.1912 heillä oli jälleen Helsingin osoite. *Kirkkonummen pitäjän henkikirjat v.1907 (U 225), VA; Selma Saarisen kirje Alma ja Hannes Saariselle 24.5.1907, I. ja K.Saarinen, Helsinki; Adress- och yrkeskalender för Helsingfors jämte förorter 1912–13, Helsingfors 1912; Frans Nyberg: "Minnen från Hvitträsk", Lucifer 1950, s.17.* **41.** B.Aminoff (1886–1972) oli töissä E.Saarisella v.1909–18. *Suomen insinöörejä ja arkkitehtejä – Ingenjörer och arkitekter i Finland 1948, Helsinki 1948, s.16; Frans Nyberg: "Minnen från Hvitträsk", Lucifer 1950, s.17.* **42.** Kurt Heinrich Fischer (18?–19?) oli E.Saarisella toimistopäällikkönä kesästä 1919 kevääseen 1920. *Oleskeluluvat v. 1919 ja 1920, Uudenmaan lääninhallituksen arkisto/kanslia, VA; E.Saarisen kirjeet J.Öhquistille*

building archaeology survey by Igor Herler, architect, summer 1985. **8.** *It would seem the flats were originally without either bathroom or w.c. Description is based on a reconstruction made in 1985 by Tytti Valto, architectural student, from the following sources:* exterior photographs from various periods, MFA; measured drawings and alteration drawings from 1969–70, office of Aino and Pekka Laurila, architects, Helsinki; letter from L.Saarinen to R. and J.Öhquist 31.1.1927, JÖC/HUL; interview with Lars Sandholm, trucker, 26.3.1985 *(an occupant of the smaller building 1930–44);* dimensional checks made by Igor Herler, architect, summer 1985. **9.** *Since information about the plumbing of Hvitträsk is scanty, it is difficult to ascertain how the water supply operated at any given time. Initially, there was a coal-burning steam pump that appears to have been situated in the north wing of the main building. If there was no other pump, then the water must have been drawn from a well in the courtyard, since a pump at the above location could not raise water from the lake. At any rate, there was a pump house at the lakeshore later, which drew water from the lake.* Civil case judgment books of CCH, section IV, 20.3.1906 §11, 24.4.1906 §9, 22.5.1906 §17, 3.8.1906 §11, 31.8.1906 §18, 21.9.1906 §10, and 23.10.1906 §15, NA; correspondence between L.Saarinen and J.Öhquist 1927–38, JÖC/HUL. **10.** Adress- och yrkeskalender för Helsingfors jämte förorter 1903–04, Helsingfors 1903. **11.** Early interior photographs, MFA. **12.** *In summer 1901, renovation work was still in progress on the villa no.11 at Eläintarha, Helsinki, where the Saarinens then lived. The contract of sale for the villa no.11 was signed on 1.11.1901.* Letter from Selma Saarinen to Hannes Saarinen 1.7.1901, Inkeri and Kaija Saarinen, Helsinki; minute confirming legal possession, 4.9.1902 §11, Judicial district archives of Lohja, PAH. **13.** *The existing design drawings of the main building are neither signed nor dated.* **14.** *Hj.Lindroos (1876–1909) had been master building foreman earlier on the construction site of the 'Fast.ab Olofsborg' building, also designed by the office.* Suomen rakennusmestarien albumi-matrikkeli I, edited by E.Ikäläinen, Helsinki 1907, pp.197–198. **15.** Civil case judgment book of CCH, section IV, 19.9.1902 §2, NA. **16.** *K.Hoffman (1875–1934) did carpentry and joinery work at Hvitträsk until the time of his death.* Interview with his daughter Mrs Karin Grizkevitsch 11.3.1985; letter from L.Saarinen to Artur Sandholm 12.4.1935, Lars Sandholm, Kirkkonummi. **17.** *The majority were purpose-made stoves built of loose tiles; only a few were standard models designed by the office. The loose tiles still left are stamped 'W.Andsten, H:fors'.* Building archaeology survey by Igor Herler, architect, summer 1985; photograph of a second floor room interior in the north wing in Saarinen's(?) day, Cranbrook Academy of Art/Museum, USA; Wilh.Andstens fabriks-aktiebolag — Wilh.Andstenin tehdas-osakeyhtiö, (sales catalogue), Helsingfors 1903, pp.13, 53. **18.** *The firm also did copperwork at Suur-Merijoki manor, designed by the office. The metal doors of the stoves are stamped 'Hj.H.Kasten, H:fors'.* **19.** *A.Hartman (1871–1933) did metal work at Hvitträsk subsequently too.* Interview with his daughter Mrs Elsa Salmikari 19.3.1985. **20.** *The firm did water supply and drainage work at Suur-Merijoki manor as well.* Civil case judgment book of CCH, section IV, 24.4.1906 §9, NA. **21.** *Pantiles were not yet being produced at the time in Finland. There is no indication of the place of manufacture on the two original pantiles still left. The pantiles now on the roof are probably from the 1950s, some made by the 'O.Y.Keramia A.B.' factory, the rest by the 'Kupittaan Saviosakeyhtiö' factory.* Tietosanakirja IV, Helsinki 1912, pp.539–540; building archaeology survey by Igor Herler, architect, summer 1985. **22.** *The office purchased a pulley and winch for masonry work from the 'Fast.ab Olofsborg' building site on 22.3.1902.* Receipt, Bost.ab Olofsborg, Helsinki. **23.** Letter from E. Saarinen to his parents 6.8.1902. Sirkka Järnefelt, née Saarinen, Mäntyharju. **24.** *The date has been estimated on the basis of the completion of the water supply and drainage work in May 1903. (Work had been begun in March.)* Civil case judgment book of CCH, section IV, 24.4.1906 §9 and 22.5.1906 §17, NA. **25.** Letter from Eliel Saarinen to his parents 6.8.1902, S.Järnefelt, Mäntyharju; Fyren, Christmas number 1902, p.6., Albert G[ebhar]d: "Tre". **26.** *For the first time their address was given as 'Masaby station, Hvitträsk' in the address calendar printed in 1903; the local parish register gives 25.1.1904 as the date of Lindgren's arrival and 14.6.1904 as that of Saarinen and Gesellius.* Adress- och yrkeskalender för Helsingfors jämte förorter 1903–04, Helsingfors 1903; parish register, archives of the Kirkkonummi parishes. **27.** *Mathilda spent the time at Franzensbad in Austria-Hungary.* Letter from Eliel Saarinen to his parents 6.6.1903, S.Järnefelt, Mäntyharju. **28.** *Mathilda spent the time in Berlin for purposes of a divorce, which was granted 2.12.1903/21.1.1904.* Civil case judgment book of CCH, section III, 2.12.1903 §10, NA; duplicate of the certificate of divorce, no.5 from 1904, Cathedral Chapter Archives of the Diocese of Porvoo,

8.5.1919, 29.12.1919 ja 19.5.1920, J. Öhq. kok./HYK. **43.** F. Nyberg (1882–1962) oli töissä E. Saarisella v:ien 1911 ja 1922 välisenä aikana yhteensä seitsemän vuotta. *Tyttären, fil. kand. Mirjam Groundstroemin haastattelu 14.9.1983.* **44.** H. Ekelund (1893–1984) oli töissä E. Saarisella v. 1921; vuonna 1923 hän oli vain eräänlaisena 'talonvartijana' E. Saarisen ollessa Amerikassa. *Haastattelu 13.4. 1983.* **45.** Talonmiehenä (villavakt) oli v. 1903?–1919 Johan Helenius (1878–1939) ja v. 1920–24 Henrik Ekström (1873–1961). *Kirkkonummen pitäjän henkikirjat v. 1905, 1919, 1920 ja 1924 (U 212, U 377, U 389 ja U 440), VA.* **46.** *L. Saarisen kirje J. Öhquistille 26.12.1926, J. Öhq. kok./HYK.* **47.** *L. Saarisen kirje J. Öhquistille 11.4.1928, J. Öhq. kok./HYK.* **48.** *Pojan, mainospäällikkö Olof Jarl Eklundin haastattelu 6.4.1983.* **49.** *L. Saarisen ja J. Öhquistin välinen kirjeenvaihto v. 1926–38, J. Öhq. kok./HYK; Inkeri ja Kaija Saarisen haastattelu 26.3.1985.* **50.** *Rouva Utti Palsbon (ent. Knudsen) haastattelu 25.4.1985.* **51.** 'Arkkit. toimisto E. Saarisen' oli suunnitellut 1910-luvun lopulla Fanny ja Niilo Helanderille (1865–1930) asuinrakennuksen Heinolan lähelle. *L. Saarisen kirje Martha Öhquistille 21.10.1934, J. Öhquistin kirje rva F. Helanderille 27.7.1938, J. Öhq. kok./HYK.* **52.** *Rouva Utti Palsbon (ent. Knudsen) haastattelu 25.4. 1985.* **53.** *L. Saarisen ja J. Öhquistin välinen kirjeenvaihto v. 1926–38, J. Öhq. kok./HYK; "Johannes Öhquist död", Hufvudstadsbladet 17.10.1949, s. 2.* **54.** *Rouva Elvi Luoman (ent. Musfeldt) haastattelu 14.5.1985.* **55.** Talonmiehenä oli v. 1924–44 Artur Sandholm (1890–1963). *Pojan, autoilija Lars Sandholmin haastattelu 26.3.1985.* **56.** *Lainhuudatusasiain pöytäkirja, 7.7.1949 §6, Raaseporin tuomiokunnan arkisto, Tammisaari.* **57.** *Leo Lähde: "KOP sai Hvitträskin 1 850 000 markalla", Helsingin Sanomat 29.9.1968, s. 9.* **58.** *"Hvitträskin kartanon irtaimiston konkurssihuutokauppa" (ilmoitus), Helsingin Sanomat 24.10. 1969, s. 28.* **59.** *Lainhuudatusasiain pöytäkirjat, 27.2.1970 §57 ja 12.12.1984 §541, Raaseporin tuomiokunnan arkisto, Tammisaari.* **60.** Tornin muutostyö oli valmis viimeistään kesällä 1906. *A. Lindgrenin luonnoskirjoissa n:o 14, 29 ja RN 10 olevat torniharjoitelmat, SRM; Dekorative Kunst, Februar 1907, s. 179 (kuva).* **61.** Umpeenmuurattu kellarinovi otettiin taas esiin v. 1971. Kuvaus perustuu arkkit. Igor Herlerin v. 1985 tekemään rekonstruktioon, jossa lähteinä ovat olleet: *Dekorative Kunst, Februar 1907, s. 182 (kuva); E. O. W. Ehrströmin puupiirros v:lta 1907, arkkit. I. Herler, Helsinki; ulkokuva [n. v:lta 1906], A. Lindgrenin jäämistö, SRM; "Entisöity ja uusittu Hvitträsk", Arkkitehti 8/1971, s. 63.* **62.** *Dekorative Kunst, Februar 1907, s. 181 (kuva).* **63.** Itse valaisimet olivat Auerhehkusukkaan perustuvaa tyyppiä ja kaasu oli ilmeisesti veteen liuotetusta kalsiumkarbidista saatua asetyleeniä. *Selma Saarisen kirje Alma ja Hannes Saariselle [helmikuussa 1907], I. ja K. Saarinen, Helsinki; sisäkuva [n. v:lta 1912], sign. 84/377, SRM; ulkokuva [n. v:lta 1912], sign. 84/225, SRM.* **64.** Viimeistään terassointi oli valmis kesällä 1909. *Arkkitekten VI/1909, s. 124 (kuva).* **65.** Terassoinnit, huvimajat sekä suurin osa pergola-aidoista on viimeistään [n. v:lta 1907(?)] olevan asemapiirroksen mukaan. *Valokuva asemapiirroksesta, sign. 84/357, SRM; L. Saarisen kirje Selma Saariselle 6.7.1908, S. Järnefelt, Mäntyharju; Arkkitekten VI/1909, s. 124–26 (kuvat); Arkkitektur 8/1909, s. 118 (kuvat); ulkokuva [n. v:lta 1908], sign. 84/412, SRM.* **66.** Puuliiteri ja porttirakennus eivät esiinny [n. v:lta 1907(?)] olevassa asemapiirroksessa. *Valokuva asemapiirroksesta, sign. 84/357, SRM; Arkkitekten VI/1909, s. 127 (kuva); 'Marievikin' kartta v:lta 1912, Senaatin talousosasto, AD 1567/184 1916, VA; Hemma och Ute 15–16/1913, s. 214 (kuva), autoilija Lars Sandholmin haastattelu 26.3.1985.* **67.** *Valokuva asemapiirroksesta [n. v:lta 1907(?)], sign. 84/357, SRM; Arkkitektur 8/1909, s. 119 (kuva); 'Marievikin' kartta v:lta 1912, Senaatin talousosasto, AD 1567/184 1916, VA.* **68.** Tenniskenttä ja tie esiintyvät jo [n. v:lta 1907(?)] olevassa asemapiirroksessa; viimeistään kenttä oli valmiina v. 1912, sillä E. O. W. Ehrströmin tiedetään pelanneen tennistä Hvitträskissä vielä siellä asuessaan. Juna oli alkanut pysähtyä Bobäckissa v. 1905. *Valokuva asemapiirroksesta, sign. 84/357, SRM; Hertta Tirranen: Suomen taiteilijoita Juho Rissasesta Jussi Mäntyseen, Porvoo 1950, s. 122; Hemma och Ute 15–16/1913, s. 212, 214 (kuvat); Suomen Valtionrautatiet, aikataulu n:o 70, Helsinki 1905.* **69.** *Arkkitekten VI/1909, s. 125 (kuva); arkkit. Igor Herlerin rakennusarkeologinen tutkimus kesällä 1985.* **70.** *Moderne Bauformen 8/1909, s. 353 (kuva); L. Saarisen kirje Selma Saariselle 6.7.1908, S. Järnefelt, Mäntyharju; arkkit. Igor Herlerin rakennusarkeologinen tutkimus kesällä 1985.* **71.** Ateljeen muutokset olivat seurausta 'Arkkitehtuuritoimisto Gesellius, Saarisen' hajoamisesta. *L. Saarisen kirje Selma Saariselle 6.7.1908, S. Järnefelt, Mäntyharju; sisäkuvat [n. v:lta 1912], sign. 84/377, SRM ja neg. 85579, Museovirasto/Historian kuva-arkisto, Igor Herlerin rakennusarkeologinen tutkimus kesällä 1985; ulkokuva [n. v:lta 1908], sign. 84/412, SRM.* **72.** Sisäkuva [n. v:lta 1912], neg. 85579, Museovirasto/Historian kuva-arkisto; sisäkuva [n. v:lta 1920], sign. 84/376, SRM; panoraamakuva [1910-luvun alusta], Museovirasto/Historian kuva-arkisto. **73.** *Magyar Iparmüvészet 1/1908,*

NA. **29.** *The letter of attorney, dated Hvittträsk, 20.8.1903, named L. Gesellius as witness.* Application for certificate of divorce, [No. 1] from 1904, appendix, Cathedral Chapter Archives of the Diocese of Porvoo, NA; Albert Christ-Janer: Eliel Saarinen, Chicago 1948, p. 15. **30.** Central Register of the Helsinki Evangelical Lutheran Parishes. **31.** Letter from Armas Lindgren to Bertha Helander 24.12.1904, MFA. **32.** The office name remained unchanged until the end of 1905, even if responsibility for its projects (apart from the National Museum), and for its assets and liabilities rested only with Gesellius and Saarinen from the start of 1905. The contract of sale for the plot of land and buildings was re-enacted in a more official way on the 13.9.1915. 'Kontrakt 5.12.1905', copy made by Riitta Nikula, Ph. D., from the original in the possession of the Lindgren family; minute confirming legal possession, 16.9.1915 §68, Judicial district archives of Lohja, PAH. **33.** J. Eklund (1876–1962) was employed by the office of Gesellius, Lindgren and Saarinen most probably in 1902–05. Letter from Armas Lindgren to Bertha Helander 24.12.1904, MFA; interior photographs [from 1905] of J. Eklund's home in the main building's north wing, sign. 84/1253, 1254 and 1258, MFA; interior photograph from 1905 of J. Eklund's home in the smaller building, Olof Jarl Eklund, advertising manager, Helsinki. **34.** Minute confirming legal possession, 8.9.1916 §41, Judicial district archives of Lohja, PAH. **35.** Eliel Saarinen's office had done design work for A. Hjelt (1885–1945), including alterations to his Helsinki home in 1916. Letter from Karin Nyberg to her mother 20.7.1922, Ragnar Nyberg, architect, Parainen; letter from L. Saarinen to R. Öhquist 14.10.1928, JÖC/HUL. **36.** The gardener was Karl Anderson (1876–1948). Interview with his daughter Mrs Anna-Liisa Hjelt 27.3.1985; poll tax registers in Kirkkonummi 1920, 1921 and 1922 (U389, U400 and U413), NA. **37.** Letters from L. Saarinen to J. Öhquist 15.3.[1923] and 17.10.1923, JÖC/HUL. **38.** Einar Saarinen (1885–1936), who had begun architectural studies in 1905 at the Helsinki Polytechnic Institute, spent at least the autumn of 1908 in Hvittträsk. Juho Saarinen (1846–1920) moved to Hvittträsk on retiring in 1918 from his post as the incumbent of the Finnish Church parish in St. Petersburg. The governess during 1913–14 was a German, Miss Hulda Collatz (1889–19?). Interview with Professor Otto-I. Meurman 24.11.1982 (employed by Saarinen in 1914–15, and in 1917); Suomen teknillisen korkeakoulun luettelo syyslukukaudella 1908, Helsinki 1908, p. 22; letter from L. Saarinen to J. Öhquist 6.7.1908, S. Järnefelt, Mäntyharju; interview with Inkeri and Kaija Saarinen, nieces, 26.3.1985; letter from Edith Aminoff to Frans Nyberg 15.12.1913, Ragnar Nyberg, Parainen; poll tax register in Kirkkonummi (U307), NA. **39.** J. Eklund had a Helsinki address as early as 1906. Interior photograph from 1905 of J. Eklund's home in the smaller building, O. J. Eklund, Helsinki; Adressbok och yrkeskalender för Helsingfors 1906–07, Helsingfors 1906. **40.** E. O. W. Ehrström (1881–1934) and O. Gummerus-Ehrström (1876–1938) were for the first time registered in Hvittträsk in 1907, and had a Helsinki address again in 1912. Poll tax register in Kirkkonummi 1907 (U225), NA; letter from Selma Saarinen to Alma and Hannes Saarinen 24.5.1907, I. and K. Saarinen, Helsinki; Adress- och yrkeskalender för Helsingfors jämte förorter 1912–13, Helsingfors 1912; Frans Nyberg: "Minnen från Hvittträsk", Lucifer 1950, p. 17. **41.** B. Aminoff (1886–1972) was employed by E. Saarinen from 1909 to 1918. Suomen insinöörejä ja arkkitehtejä—Ingenjörer och arkitekter i Finland 1948, Vaasa 1948, p. 16; Frans Nyberg: "Minnen från Hvittträsk" Lucifer 1950, p. 17. **42.** Kurt Heinrich Fischer (18?–19?) was in charge of Saarinen's office from summer 1919 to spring 1920. Residence permits 1919 and 1920, archives of Uusimaa Provincial Board/records of chancery, NA; letters from E. Saarinen to J. Öhquist 8.5.1919, 29.12.1919 and 19.5.1920, JÖC/HUL. **43.** Frans Nyberg (1882–1962) was employed by Saarinen for a total of seven years between 1911 and 1922. Interview with his daughter Mirjam Groundstroem, B. A., 14.9.1983. **44.** H. Ekelund (1893–1984) was employed by Saarinen in 1921; in 1923, he only acted as a kind of 'guardian of the property' while Saarinen was in America. Interview 13.4.1983. **45.** Johan Helenius (1878–1939) was caretaker from 1903? to 1919, and Henrik Ekström (1873–1961) from 1920 to 1924. Poll tax registers in Kirkkonummi 1905, 1919, 1920 and 1924 (U212, U377, U389 and U440), NA. **46.** Letter from L. Saarinen to J. Öhquist 26.12.1926, JÖC/HUL. **47.** Letter from L. Saarinen to J. Öhquist 11.4.1928, JÖC/HUL. **48.** Interview with his son Olof Jarl Eklund, advertising manager, 6.4.1983. **49.** Correspondence between L. Saarinen and J. Öhquist 1926–38, JÖC/HUL; interview with Inkeri and Kaija Saarinen 26.3.1985. **50.** Interview with Mrs Utti Palsbo (formerly Knudsen) 25.4.1985. **51.** In the late 1910s, Eliel Saarinen's office had designed a house for Fanny and Niilo Helander (1865–1930) near Heinola. Letter from L. Saarinen to Martha Öhquist 21.10.1934, letter from J. Öhquist to Mrs F. Helander 27.8.1938,

s. 19 (kuva); Selma Saarisen kirje Alma Saariselle 2.12.1907, I. ja K. Saarinen, Helsinki; C[arl] B[ergsten]: '' †Herman Gesellius'', Arkitektur 8/1916, s. 102; Arkitekten VI/1909, s. 124–127 (kuvat). **74.** Geselliusten aikaiset sisäkuvat, SRM; Arkitekten III/1916, s. 32–33 (kuvat). **75.** Arkitekten VI/1909, s. 124–127 (kuvat); ulkokuva [1910-luvun alusta], neg. 148660, Museovirasto/Historian kuva-arkisto; Saaristen(?) aikainen sisäkuva, Cranbrook Academy of Art/Museum, USA. **76.** Geselliusten aikaiset sisäkuvat, SRM; Arkitekten III/1916, s. 32 (kuva); arkkit. Igor Herlerin rakennusarkeologinen tutkimus kesällä 1985. **77.** Ateljeeta käytettiin 1910-luvulla E. Saarisen toimiston toisena piirustussalina. E. O. W. Ehrströmin puupiirros 'Kesäportaat' v:lta 1909 ja ulkokuva [1910-luvulta], rouva Gunvor af Heurlin (os. Aminoff), Helsinki; Frans Nyberg: ''Minnen från Hvittträsk'', Lucifer 1950, s. 17; prof. Otto-I. Meurmanin haastattelu 24.11. 1982. **78.** Uuden ullakkohuoneen ikkunaa ei vielä näy 1910-luvun alun kuvissa; huoneessa asui vuoden 1915 paikkeilla arkkitehti Urho Åberg, myöh. Orola (1887–1942). Hemma och Ute 17/1913, s. 235 (kuva); prof. Otto-I. Meurmanin haastattelu 24.11.1982. **79.** Ajoitus päätelty rakennuksen ulkoasun perusteella; purettu 1940-luvulla?. Joulutunnelma 1915, s. 26 (panoraamakuva); L. Saarisen kirje R. ja J. Öhquistille 6.4.1931, J. Öhq. kok./HYK. **80.** Ainakin jo kesällä 1919 oli pohjoissiivestä paanutettu torni sekä etelä- ja itäsivut, mahdollisesti myös pohjois- ja länsisivut. Kesällä 1920 oli paanutettuna myös eteläsiivestä ainakin lännenpuoleinen veranta, ehkä koko länsisivukin. Ulkokuvat v:lta 1919, I. ja K. Saarinen, Helsinki; Kulkuset 1920, s. 21 (kuva); Helsingin Sanomien kuukausiliite, elokuu 1984, s. 39 (kuva); ulkokuvat [1920-luvun lopulta], L. Sandholm, Kirkkonummi. **81.** Kulkuset 1920, s. 24 (kuvat). **82.** Ulkokuva v:lta 1921, Mirjam Groundstroem, Helsinki; L. Saarisen kirje R. ja J. Öhquistille 31.1.1927, J. Öhq. kok./HYK. **83.** Bobäckiin aluksi sähköä toimittaneen 'Kyrkslätt Elektricitets Ab:n' perustava kokous oli 27.11.1920. Kaupparekisteri, RN:o 45 421, Patentti- ja rekisterihallitus, Helsinki; rouva Anna-Liisa Hjeltin haastattelu 18.10.1982. **84.** ''Tulipalo prof. Saarisen huvilassa'', Uusi Suomi 19.7.1922, s. 1; Suomen Kuvalehti 30/1922, s. 752 (kuva). **85.** Ulkokuva [1920-luvun lopulta] ja L. Saarisen kirje Liisi Sandholmille 15.8.[1928], L. Sandholm, Kirkkonummi. **86.** Kopiot julkisivupiirustuksista v:lta 1928, SRM. **87.** L. Saarisen ja J. Öhquistin välinen kirjeenvaihto 14.10.1928–4.9.1933, J. Öhq. kok./HYK. **88.** Ulkokuva [1920-luvun lopulta], L. Sandholm, Kirkkonummi. **89.** J. Eklundin piirustus v:lta 1932, SRM; J. Öhquistin kirje L. Saariselle 1.12.1932, J. Öhq. kok./HYK. **90.** Piirustukset v:ilta 1936–37, SRM; J. Öhquistin kirjeet L. Saariselle 1.9.1936, 29.9.1936, 31.10.1936 ja 30.4.1937, J. Öhq. kok./HYK. **91.** L. Saarisen kirje R. ja J. Öhquistille 10.3.[1937] ja J. Öhquistin kirjeet L. Saariselle 30.4.1937, 31.8.1937 ja 30.9.1937, J. Öhq. kok./HYK. **92.** L. Saarisen kirjeet R. ja J. Öhquistille 15.9.1936 ja 3.12.1936, J. Öhq. kok./HYK. **93.** Autoilija Lars Sandholmin haastattelu 26.3.1985. **94.** Anelma Vuorio: Kaksikymmentä vuotta Hvitträskin tähden, Helsinki 1971, s. 48–52, 83–86, 94–121. **95.** ''Entisöity ja uusittu Hvittträsk'', Arkkitehti 8/1971, s. 58–64. **96.** Malcolm Quantrill: Reima Pietilä, Helsinki 1985, s. 228–229. **97.** Valokuva asemapiirroksesta [n. v:lta 1907(?)], sign. 84/357, SRM. **98.** L. Saarisen kirje Emil Wikströmille 19.2.1916, E. Wikströmin museo, Sääksmäki. **99.** Hvitträskin ullakolta v. 1984 löytynyt pohjapiirustus, SRM. Piirustuksen tunnistanut ja ajoittanut arkkit. Igor Herler. **100.** Yksi litografia SRM:ssä. S[igurd] F[rosterus]: ''Konstlotteriet'', Nya Pressen 4.4.1908, s. 6. **101.** Birger Brunila: ''Utställningen för byggnadskonst och -teknik i Leipzig'', Arkitekten IX/1913, s. 144.

JÖC/HUL. **52.** Interview with Mrs Utti Palsbo (formerly Knudsen) 25.4.1985. **53.** Correspondence between L. Saarinen and J. Öhquist 1926–38, JÖC/HUL; ''Johannes Öhquist död'', Hufvudstadsbladet 17.10.1949, p. s. **54.** Interview with Mrs Elvi Luoma (formerly Musfeldt) 14.5.1985. **55.** Artur Sandholm (1890–1963) was caretaker from 1924 to 1944. Interview with his son Lars Sandholm, trucker, 26.3.1985. **56.** Minute confirming legal possession, 7.7.1949 §66, Judicial district archives of Raasepori, Tammisaari. **57.** Leo Lähde: ''KOP sai Hvitträskin 1 850 000 markalla'', Helsingin Sanomat 29.9.1968, p. 9. **58.** ''Hvitträskin kartanon irtaimiston konkurssihuutokauppa'', (advertisement), Helsingin Sanomat 24.10.1969, p. 28. **59.** Minutes confirming legal possession, 27.2.1970 §57 and 12.12.1984 §541, Judicial district archives of Raasepori, Tammisaari. **60.** The alterations to the tower were completed not later than summer 1906. Draft sketches of the tower in A. Lindgren's sketchbooks no. 14, no. 29 and no. RN10, MFA; Dekorative Kunst, Februar 1907, p. 179 (picture). **61.** The bricked-up basement door was uncovered in 1971. Description is based on a reconstruction made in 1985 by Igor Herler, architect, from the following sources: Dekorative Kunst, Februar 1907, p. 182 (picture); woodcut from 1907 by E. O. W. Ehrström, Igor Herler, architect; exterior photograph [from c. 1906], effects of Armas Lindgren, MFA; ''Entisöity ja uusittu Hvittträsk'', Arkkitehti 8/1971, p. 63. **62.** Dekorative Kunst, Februar 1907, p. 181 (picture). **63.** The light fittings were based on the Auer incandescent type and the gas obtained probably through mixing calcium carbide and water to produce acetylene. Letter from Selma Saarinen to Alma and Hannes Saarinen [February 1907], I. and K. Saarinen, Helsinki; interior photograph [from c. 1912], sign. 84/377, MFA; exterior photograph [from c. 1912], sign. 84/225, MFA. **64.** The terracing was completed not later than summer 1909. Arkitekten VI/1909, p. 124 (picture). **65.** The terracing, arbour, folly and most of the pergola surrounds were built according to the site plan [from c. 1907(?)]. Photograph of site plan, sign. 84/357, MFA; letter from L. Saarinen to Selma Saarinen 6.7.1908, S. Järnefelt, Mäntyharju; Arkitekten VI/1909, pp. 124–126 (pictures); Arkitektur 8/1909, p. 118 (picture); exterior photograph [from c. 1908], sign. 84/412, MFA. **66.** The firewood store and gate construction do not appear on the site plan [from c. 1907(?)]. Photograph of site plan, sign. 84/357, MFA; Arkitekten VI/1909, p. 127 (picture); map of 'Marievik' from 1912, Economic Department of the Senate, SD 1567/184 1916, NA; Hemma och Ute 15–16/1913, p. 214 (picture); interview with Lars Sandholm 26.3.1985. **67.** Photograph of site plan [from c. 1907(?)], sign. 84/357, MFA; Arkitektur 8/1909, p. 119 (picture); 1912 map of 'Marievik', Economic Department of the Senate, SD 1567/184 1916, NA. **68.** The tennis court and road are shown in the site plan [from c. 1907(?)]; the tennis court was completed not later than 1912 as E. O. W. Ehrström is known to have played tennis in Hvitträsk while living there. The train service had begun using the halt at Bobäck from 1905. Photograph of site plan, sign. 84/357, MFA; Hertta Tirranen: Suomen taiteilijoita Juho Rissasesta Jussi Mäntyseen, Porvoo 1950, p. 122; Hemma och Ute 15–16/1913, pp. 212, 214 (pictures); Suomen Valtionrautatiet, aikataulu n:o 70, Helsinki 1905. **69.** Arkitekten VI/1909, p. 125 (picture); building archaeology survey by Igor Herler, architect, summer 1985. **70.** Moderne Bauformen 8/1909, p. 353 (picture); letter from L. Saarinen to Selma Saarinen 6.7.1908, S. Järnefelt, Mäntyharju; building archaeology survey by Igor Herler, architect, summer 1985. **71.** The alterations to the studio section were a consequence of the office of Gesellius and Saarinen ceasing to operate. Letter from L. Saarinen to Selma Saarinen 6.7.1908, S. Järnefelt, Mäntyharju; interior photographs [from c. 1912], sign. 84/377, MFA and neg. 85579, National Board of Antiquities/Archives for Prints and Photographs, Helsinki; building archaeology survey by Igor Herler, architect, summer 1985; exterior photograph [from c. 1908], sign. 84/412, MFA. **72.** Interior photograph [from c. 1912], neg. 85579, National Board of Antiquities/ Archives for Prints and Photographs; interior photograph [from c. 1920], sign. 84/376, MFA; panorama [from the early 1910s], National Board of Antiquities/Archives for Prints and Photographs. **73.** Magyar Iparmüvészet 1/1908, p. 19 (picture); letter from Selma Saarinen to Alma Saarinen 2.12.1907, I. and K. Saarinen, Helsinki; C[arl] B[ergsten]; '' † Herman Gesellius'', Arkitektur 8/1916, p. 102; Arkitekten VI/1909, pp. 124–127 (picture). **74.** Interior photographs from the Gesellius period, MFA; Arkitekten III/1916, pp. 32–33 (pictures). **75.** Arkitekten VI/1909, pp. 124–127 (pictures); exterior photograph [from the early 1910s], neg. 148660, National Board of Antiquities/ Archives for Prints and Photographs; interior photograph [from the Saarinen(?) period], Cranbrook Academy of Art/Museum, USA. **76.** Interior photographs from the Gesellius period, MFA; Arkitekten III/1916, p. 32 (picture); building archaeology survey by Igor Herler, architect, summer 1985. **77.** The atelier wing was used in the 1910s as a draughting studio for E. Saarinen's office. Woodcut "Kesäportaat" from 1909 by E.O.W. Ehrström and exterior photograph [from the 1910s], Mrs Gunvor af Heurlin (née Aminoff), Helsinki; Frans Nyberg: "Minnen från Hvittträsk", Lucifer 1950, p.17; interview with Prof. Otto-I. Meurman 24.11.1982. **78.** *The attic window of the extra room does not appear in photographs dating from shortly after 1910; the room was occupied around 1915 by Urho Åberg (later Orola), architect, (1887–1942).* Hemma och Ute 17/1913, p.235 (picture); interview with Prof. Otto-I. Meurman 24.11.1982. **79.** *The date has been estimated on the basis of the appearance of the building; it was demolished during the 1940s?.* Joulutunnelma 1915, p.26 (panorama); letter from L. Saarinen to R. and J. Öhquist 6.4.1931, JÖC/HUL. **80.** *Not later than summer 1919, the tower, the east and south faces, maybe also the north and west faces of the north wing, were clad with shingles. This was done in summer 1920 to the west verandah of the south wing, perhaps to all the west face.* Exterior photographs from 1919, I. and K. Saarinen, Helsinki; Kulkuset 1920, p.21 (picture); Helsingin Sanomat, kuukausiliite, elokuu 1984, p.39 (picture); exterior photographs [from end of 1920s], L. Sandholm, Kirkkonummi. Kulkuset 1920, p.24 (pictures). **82.** Exterior photograph from 1921, Mirjam Groundstroem, Helsinki; letter from L. Saarinen to R. and J. Öhquist 31.1.1927, JÖC/HUL. **83.** *The constitutive meeting of 'Kyrkslätt Elektricitets Ab', which initially supplied electricity to the Bobäck area, was held on 27.11.1920.* Trade register, Reg.no. 45 421, National Patent and Register Board, Helsinki; interview with Mrs Anna-Liisa Hjelt 18.10.1982. **84.** "Tulipalo Prof. Saarisen huvilassa", Uusi Suomi 19.7.1922, p.1; Suomen Kuvalehti 30/1922, p.752 (picture). **85.** Exterior photograph [from end of 1920s] and letter from L. Saarinen to Liisi Sandholm 15.8.[1928], L. Sandholm, Kirkkonummi. **86.** Copies of elevation drawings from 1928, MFA. **87.** Correspondence between L. Saarinen and J. Öhquist 14.10.1928–4.9.1933, JÖC/HUL. **88.** Exterior photograph [from end of 1920s], L. Sandholm, Kirkkonummi. **89.** J. Eklund's drawing from 1932, MFA; letter from J. Öhquist to L. Saarinen 1.12.1932, JÖC/HUL. **90.** Drawings from 1936–37, MFA; letters from J. Öhquist to L. Saarinen 1.9.1936, 29.9.1936, 31.10.1936 and 30.4.1937, JÖC/HUL. **91.** Letters from L. Saarinen to R. and J. Öhquist 10.3.[1937] and from J. Öhquist to L. Saarinen 30.4.1937, 31.8.1937 and 30.9.1937, JÖC/HUL. **92.** Letters from L. Saarinen to R. and J. Öhquist 15.9.1936 and 3.12.1936, JÖC/HUL. **93.** Interview with Lars Sandholm, trucker, 26.3.1985. **94.** Anelma Vuorio: Kaksikymmentä vuotta Hvitträskin tähden, Helsinki 1971, pp.48–52, 83–86, 94–121. **95.** "Entisöity ja uusittu Hvittträsk", Arkkitehti 8/1971, pp.58–64. **96.** Malcolm Quantrill: Reima Pietilä, Helsinki 1985, pp.228–229. **97.** Photograph of site plan [from c.1907(?)], sign.84/357, MFA. **98.** Letter from L. Saarinen to Emil Wikström 19.2.1916, The Emil Wikström Museum, Sääksmäki. **99.** From a plan drawing found in the attic at Hvittträsk in 1984, MFA. *This drawing was identified and dated by Igor Herler, architect.* **100.** One lithograph is in the Museum of Finnish Architecture. S[igurd] F[rosterus]: "Konstlotteriet", Nya Pressen, 4.4.1908, p.6. **101.** Birger Brunila: "Utställningen för byggnadskonst och -teknik i Leipzig", Arkitekten IX/1913, p.144.

(Desmond O'Rourke)

KUVALÄHTEET/*SOURCES OF ILLUSTRATIONS*

LAITOKSET/*INSTITUTIONS*

Ateneumin taidemuseo/*The Art Museum of the Ateneum* 100, 129; *Cranbrook Academy of Art/Museum* 66, 124, 176; Gösta Serlachiuksen Taidesäätiö/*The Gösta Serlachius Fine Arts Foundation* 19, 102, 104, 126, 127; Helsingin kaupunginmuseo/*Helsinki City Museum* 81(Roos), 82(Eric Sundström); Helsingin yliopiston kirjasto, J. Öhquistin kokoelma/*Helsinki University Library, J. Öhquist Collection* 85, 91, 93, 96; Hvittträsk/*Hvittträsk Museum* 26-29, 48, 49, 196, 197, 203, 204; Museovirasto/*National Board of Antiquities* 23, 25, 105, 111, 114, 159, 190, 211, 214(Alfred Nybom), 51(Pietinen), 63, 65(C.P.Dyrendahl), 125(Helander); Kustannusosakeyhtiö Otava/*Otava Publishing Company Ltd* 140, 141, 143-150, 152-157, 161-164, 178, 179, 181, 182, 191, 198, 210, 218-223(Studio Granath); Rautatiemuseo/*Railway Museum* 67; Suomen rakennustaiteen museo/*Museum of Finnish Architecture* 83, 86, 113(Apollo), 43(Risto Kamunen), 2(Rauno Karhu), 56, 108, 112, 184, 215(Alfred Nybom), 11, 12, 47, 142, 151, 158, 177(Simo Rista), 45, 115, 116, 118, 122, 160(Loja Saarinen?), 41(Eric Sundström), 50, 107, 109, 119, 165-174, 186-188, 192-195, 200, 201, 205-209, 212, 213, 216(Rauno Träskelin), 15, 18, 21, 31, 33, 36, 37, 42, 60, 62, 69, 89, 92, 120, 121, 138, 183, 189, 199, 202; SRM originaaliarkisto/*MFA original archive* 1, 30, 52, 137, 175; SRM Saarinen kokoelma/*MFA Saarinen Collection* 8, 9, 16, 35, 38, 39; Valtionarkisto, Rakennushallituksen arkisto/*National Archives, National Board of Building/archives* 68.

YKSITYISKOKOELMAT/*PRIVATE COLLECTIONS*

Marja Almila 84; Anita Ehrnrooth 87; Olof Eklund 34; Helena Groundstroem 17, 24, 57, 72-79; Mirjam Groundstroem 32(Karin Nyberg); Per-Olof Gyldén 7, 64, 70, 71, 130-132, 136; Gunvor af Heurlin 103, 217; Armas Lindgrenin perikunta/*the Armas Lindgren estate* 5, 6; Otto-I. Meurman 3, 4, 46, 59, 61(Alfred Nybom), 22, 58, 94, 95, 101; H.B. Paqvalén 88, 106; Jaakko Rahola 40; Inkeri & Kaarina Saarinen 117, 180; Ronald Saarinen Swanson 80, 90, 97, 98, 123.

KIRJALLISET LÄHTEET/*PRINTED SOURCES*

Architekten 44/1909. 133, 134.
Hemma och ute 15-16/1913. 135.
Kotitaide (A) II, huhtikuu/1902. 185.
Die Kunst, Februar/1907. 10, 14, 110.
Moderne Bauformen 4/1907. 13, 20.
Muthesius, Hermann, 1907. Landhaus und Garten. München. 44, 45, 55.
Suomen Kuvalehti 30/1922. 139.
Tirranen, Hertta, 1950. Suomen taiteilijoita. Porvoo. 99.
Vogel, F.Rud., 1910. Das amerikanische Haus. Berlin. 53.

LISÄYKSIÄ 5. PAINOKSEEN

Tämä 5. painos on päätetty säilyttää vuonna 1987 ilmestyneen ensipainoksen kaltaisena. Vuonna 1996 käynnistettyjen Hvitträskin peruskorjausten yhteydessä tehdyt sisätilojen näkyvimmät muutokset samoin kuin joitakin kalustoon liittyviä oikaisuja on koottu alla olevaan luetteloon.

s. 50 alh., s. 53 ylh. ja viite 135
Eteläpäädyn oikeanpuoleisessa makuuhuoneessa on vanha alkuperäinen kangastapetti, joka löydettiin 1999–2000 peruskorjauksen yhteydessä.

s. 58 kesk.
Keittiöosaston tilanjako on palautettu vuoden 1996 peruskorjauksessa.

s. 67 alh.
Hvitträsk siirtyi 31.12.1999 Museoviraston omistukseen.

s. 78
Kuva on peräisin Vuorioiden ajalta, ennen Loja Saarisen kuolemaa vuonna 1968.

s. 86
Nykyään muutamat esillä olevat ryijyt ovat Suomen Käsityön Ystävissä 1980–90-luvuilla teetettyjä kopioita.

s. 93, kuva ja kuvaviite 191
Ryijy on kopio.

s. 98–99
Loja ja Eliel Saarisen makuuhuoneen tapettikerrostumista paljastui 1999–2000 peruskorjauksen yhteydessä mustapohjainen kukkatapetti ja vihreä tapetti, joista toinen palautetaan.

s. 101 ja viite 125
Lasten leikkihuoneen takaosassa sijaitsee nykyään alkuperäisen kaluston kopio.

s. 105 ja 109
Viitteet 24 ja 126 muuttuneet. Alkuperäinen ryijy on saatu takaisin ja on esillä lastenhuoneessa. Omistaja Suomen Kansallismuseo / Hvitträsk kokoelma.

s. 109
Viite 117. Vuorioiden kylpyhuoneitten tilalla on henkilökunnan taukohuone.
Viite 125. Huoneen kalustus on muuttunut. Huoneen perällä on valokuvien mukaan tehty kopio.
Viite 131. Komuutista on tehty valokuvien perusteella kopio.

s. 114, kuva 222
Emil Wikströmin Hvitträskin karhu ei ole enää Hvitträskissä. Se kuului Anelma ja Rainer Vuorion konkurssipesään. Nykyisin yksityisomistuksessa.

Lisäykset: Museovirasto

ADDITIONS TO THE FIFTH EDITION

Every effort has been made in this fifth edition to retain the form of the first edition of 1987. The most visible changes in the interiors resulting from the renovation work that commenced in 1996, and also some corrections with regard to the furnishings, are listed below.

Bottom of p. 51, top of page 53 and ref. 135
The walls of the right-hand bedroom at the south end feature the original tapestries, which were discovered during the renovations in 1999–2000.

Middle of p. 59
The disposition of the kitchen suite was restored to its original form in 1996.

Bottom of p. 67
Hvitträsk was taken over by the National Board of Antiquities on 31.12.1999.

p. 78
The picture is from the time of the Vuorios, before the death of Loja Saarinen in 1968.

p. 87
The few ryijy *rugs on view at the moment are copies made by the Friends of Finnish Handicraft in the 1980's and 1990's.*

p. 93, plate 191 and ref.
The ryijy *rug is a copy of the original.*

pp. 98–99
Renovations to Loja and Eliel Saarinen's bedroom in 1999–2000 revealed among the layers of wallpaper a floral design on a black background and a green wallpaper. One or other of these will be restored.

p. 101 and ref. 125
The present furnishings in the children's playroom are copies of the original items.

pp. 105 and 109
References 24 and 126 have been altered. The original ryijy *rug has been recovered and is now hanging in the children's room. Owned by the National Museum of Finland / Hvitträsk collections.*

p. 109
Ref. 117. The Vuorios' suite of bathrooms is now a private room for the staff.
Ref. 125. The furnishings of this room have been changed. A copy reconstructed from old photographs can be seen at the back of the room.
Ref. 131. The washstand is a copy based on old photographs.

p. 114, plate 222
Emil Wickström's Bear of Hvitträsk is no longer at the house. It belonged to the personal estate of Anelma and Rainer Vuorio and is now in private hands.

Additions: National Board of Antiquities
Translation: Malcolm Hicks